Lo que no se dice

Editorial Dos Bigotes

dice

Relatos inéditos de Luis Antonio de Villena • *Eduardo Mendicutti*
Luisgé Martín • *Lluís Maria Todó* • *Fernando J. López*
Óscar Esquivias • *Luis Cremades* • *Lawrence Schimel*
José Luis Serrano • *Óscar Hernández* • *Álvaro Domínguez*

Ilustraciones de Raúl Lázaro

Dosbigotes

Primera edición: octubre de 2014

© de los textos: los autores, 2014
© de la traducción de *Estadísticas*: Raquel G. Rojas
© de esta edición: Dos Bigotes, A.C.
© de las ilustraciones: Raúl Lázaro

Publicado por Dos Bigotes, A.C.
www.dosbigotes.es
info@dosbigotes.es

ISBN: 978-84-942413-5-2
Depósito legal: M-24541-2014
Impreso por Ulzama Digital
www.ulzama.com

Diseño de colección, ilustraciones y maquetación:
Raúl Lázaro
www.escueladecebras.com

Impreso en España — Printed in Spain

Índice

Nota de los editores

En ocasiones, el tamaño sí importa. Mientras la novela ofrece al escritor la oportunidad de disponer de los elementos de la narración siguiendo un esquema determinado por la amplitud del formato, la naturaleza misma del relato presenta un desafío ante el cual no cabe la opción de hacer —demasiadas— trampas. El autor se la juega a una sola carta poniendo sus recursos expresivos al servicio de una historia que, en unas pocas páginas, debe crear un universo propio que atrape la atención del lector.

Conscientes de este reto, decidimos plantear a una serie de autores a los que admiramos la posibilidad de escribir un cuento que abordara desde una óptica homosexual algunos de los tópicos más identificables de la cultura española. El fútbol, los toros, la Iglesia, la familia tradicional o el ámbito rural fueron algunos de los temas que *lanzamos* a estos once escritores que, desde el principio, confiaron a ciegas en la propuesta.

Como editores que no hace mucho que se han estrenado en el oficio, constituye un privilegio haber contado con el apoyo y la complicidad de Luis Antonio de Villena, Eduardo Mendicutti, Luisgé Martín, Lluís Maria Todó, Fernando J. López, Óscar Esquivias, Luis Cremades, Lawrence Schimel, José Luis Serrano y Óscar Hernández. Descubrir nuevas voces es otro de los objetivos de Dos Bigotes, y por ello nos hace muy felices la presencia del joven —aunque sobradamente preparado— Álvaro Domínguez.

No es de extrañar que, en aquellos trabajos en los que la creatividad tiene espacio para desarrollarse con libertad, el resultado vaya más allá de las directrices que han motivado el *encargo*. Porque, aunque el punto de partida fue dar una vuelta de tuerca a los iconos de la España cañí, *Lo que no se dice* trasciende esta anécdota argumental para enriquecerse con cada uno de los mundos —tan identificables— creados por los escritores reunidos en esta antología.

La exploración de la mecánica del amor, la construcción de la identidad, el acoso escolar o el disfrute del cuerpo como instrumento de placer son algunos de los asuntos abordados en estos cuentos. Solo nos queda esperar que los lectores disfruten de ellos tanto como lo hemos hecho nosotros.

Gonzalo Izquierdo y Alberto Rodríguez
Madrid, septiembre de 2014

Nació en Madrid en 1962. Es licenciado en Filología Hispánica por la Universidad Complutense de Madrid y MBA por el Instituto de Empresa. Ha publicado los libros de relatos *Los oscuros* (1990) y *El alma del erizo* (2002), las novelas *La dulce ira* (1995), *La muerte de Tadzio* (2000, Premio Ramón Gómez de la Serna), *Los amores confiados* (2005), *Las manos cortadas* (2009), *La mujer de sombra* (2012), y la colección de cartas *Amante del sexo busca pareja*

Luisgé Martín

morbosa (2002). Ha participado además en diversos libros colectivos de relatos. En 2009 ganó el Premio Antonio Machado con el cuento *Los años más felices* y en 2012 el Premio Mario Vargas Llosa con *Los dientes del azar*. Colabora en *El Viajero*, *El País* y otras publicaciones periódicas. En 2013 ha publicado *Donde el silencio* (Premio Llanes de Viajes), la novela *La misma ciudad* y el libro de relatos *Todos los crímenes se cometen por amor*.

El esplendor en la hierba

1

El médico de la familia, el doctor Antúnez, le dijo a mi madre que lo mío era una enfermedad hepática. «Tiene el hígado muy débil y su cuerpo se autorregula para no hacer esfuerzos que puedan poner en peligro su salud. Tenga usted en cuenta que las glándulas segregan sustancias que llegan al cerebro y condicionan el comportamiento». Mi madre no debió de quedar muy convencida de la explicación científica: «¿Y por eso no juega al fútbol?». El doctor Antúnez no dejó ni un resquicio a la incertidumbre médica: «Por eso mismo, señora».

A los diez años, cuando todos los niños del colegio y del barrio se desvivían por el fútbol, a mí me gustaban los libros y los pinceles. Las muñecas también, pero ese instinto aprendí enseguida a ocultarlo para no llevar el conflicto familiar a mayores. Mis compañeros de clase rivalizaban por formar parte del equipo escolar, discutían desapaciblemente los resultados de los partidos de Liga, se sabían de memoria todas las alineaciones y coleccionaban cromos de jugadores famosos. Muchos días yo no podía participar en sus conversaciones ni me divertía acompañarles, pues cuando hablaban de Arconada, de Lineker o de Rummenigge me quedaba en albis, aburrido con mis propios pensamientos.

Así pasó el tiempo, y me fui convirtiendo en un niño solitario y melindroso. A los catorce años, sin embargo, llegó al colegio Félix Gurruchaga, el *Gurru*, un pincel de niño que al atravesar los umbrales de las puertas arrastraba a los arcángeles con él. Era rubicundo y tenía los ojos grises. Su cuerpo parecía menudo, pero a esa edad ya estaba más desarrollado que los de todos nosotros, que seguíamos teniendo pechos esmirriados y muslos sin musculatura. La sonrisa del *Gurru* era como un disparo a bocajarro en el corazón: te hacía doblar las rodillas y caer a tierra.

El *Gurru* fue mi primer amor. Con él se me acabaron las pamplinas y dejé de repente de deshojar la margarita para descubrir si me gustaban las niñas o los niños: ahora estaba tan claro como el trasluz de sus ojos grises.

Resultó ser que el *Gurru* era además un excelente delantero centro y que sus habilidades balompédicas podían revolucionar el papel de la selección colegial en la Liga nacional de juveniles. Los entendidos aseguraban que con una estrella así era posible el triunfo. Y ahí mi vida cambió. La brújula que apuntaba al norte comenzó a apuntar al sur. Dejé los libros, los pinceles y las fantasías con muñecas y me apunté en el equipo de mi curso. Mis compañeros se burlaron de mí en secreto y el entrenador me hizo la prueba de ingreso por puro compromiso. Unos y otros, sin embargo, quedaron sorprendidos al verme jugar. Y el más sorprendido de todos fui yo, que, inspirado por el amor o forjado por algún atavismo, era capaz de llevar el balón pegado al pie como si estuviera imantado y recorrer así el campo de un extremo a otro, regateando a los rivales, hasta marcar en la portería contraria.

Al enterarse, mi madre me mandó enseguida al médico

para que me hicieran análisis de sangre. «El niño juega bien al fútbol gracias a la alimentación de estos años», dijo el doctor Antúnez. «La dieta sin grasas ni chocolates ha regenerado el hígado y ahora el cuerpo le pide pundonor y energía». Lo mejor de mi pundonor y mi energía, sin embargo, lo empleaba en el vestuario. El fastidio de los entrenamientos, el cansancio, las lesiones o la garrulería de los gritos del entrenador se compensaban sobradamente con ese momento glorioso en el que, después de cada partido, veía al *Gurru* desnudo. Debo decir que en el equipo había otros jugadores admirables, pero yo solo tenía ojos para él. Y el esplendor de aquel tiempo me llegó un día en el que se acercó a mí en el vestuario, ya sin ropa, sudoroso, para felicitarme con camaradería por una jugada virtuosa que yo había hecho por la banda derecha para que él rematara el gol que nos dio el triunfo. Desde el centro del campo le vi en el área, desmarcado, y entonces corrí como una gacela, driblé a tres contrarios que trataban de salirme al paso y en el banderín del córner pegué un punterazo prodigioso hasta el lugar mismo en el que estaba él. La pasión —o el hígado— otorga a veces esa inspiración.

Tres meses después de empezar a jugar, con mi amor todavía florecido, fue al campo un ojeador profesional, vio mi destreza y pidió hablar enseguida con mis padres. Antes de terminar el año me hicieron una oferta para ingresar en los cadetes del Real Madrid. De repente me convertí en el chico más popular del colegio. Todos querían ser amigos míos y hacerse fotos a mi lado. Incluso el *Gurru*, que presumía por todas partes de jugar en mi mismo equipo y de haber marcado goles con mi ayuda.

El fútbol me seguía pareciendo un ejercicio innecesario y tedioso, pero los ratos en el vestuario, en cambio, me gustaban cada vez más, de modo que después de deshojar de nuevo la margarita de mi destino, presionado además por el orgullo de mi padre, acepté la oferta del Real Madrid.

A esa edad los amores son intensos pero inconstantes, entre otras razones porque los cuerpos van cambiando con veloz mudanza. Mis sentimientos hacia el *Gurru* se desvanecieron de la noche a la mañana. Comenzó a parecerme desgarbado (el último estirón le había arqueado la espalda) y algo feo. Sus orejas eran grandes, los dientes se le habían separado y en las mejillas tenía un acné con apariencia de verrugas. Mis nuevos compañeros del Real Madrid, por el contrario, eran todos airosos y atractivos, y algunos de ellos, los más desarrollados por la naturaleza, parecían sementales apolíneos, construidos como máquinas perfectas para ejecutar hechizos. Casi todos los días me quedaba debajo de la ducha embobado, mirando la alineación completa con los dedos hechos huéspedes y los suspiros en la boca de la garganta sin poder salir. Matías, Palomero, Aguilera, Bruno y Gallardo: qué defensa. El centro del campo tampoco perdía altura: Romero, Aristimuño y Pinillos. Y en la delantera, con suplentes incluidos, Munárriz, Pancho, Pastor y Pellicer. Pero de entre todos esos delirios, que en el campo me aturullaban, mi amor verdadero estaba debajo de la portería: Marcos Lagunero.

Lagunero era alto pero no deforme. Tenía unas espaldas ya de hombre hecho y derecho y unos muslos que, al saltar, se le descomponían en racimos de músculos. Su sonrisa era devastadora, apocalíptica, y hacía juego con la tonalidad turquesa de sus ojos, que a mi juicio era la razón por la que algunos delanteros, cuando se quedaban frente a él a solas, con toda la portería a su merced, mandaban la pelota fuera. Yo, que siempre había jugado de media punta, le pedí al entrenador que me colocara más rezagado para estar cerca de Lagunero. Como mis virtudes futbolísticas, una vez curados mis problemas de hígado, eran casi ilimitadas, enseguida me convertí en un central sólido y fiable. Hice una temporada portentosa y se comenzó a hablar de mí para la selección juvenil.

De Lagunero llegué a hacerme muy amigo fuera del campo y del vestuario. Él tenía una moto y al acabar los entrenamientos me acercaba a mi casa. Yo me agarraba a su cuerpo musculoso con la misma fuerza con la que él atrapaba los balones en el área, y cuando cogía velocidad o tomaba una curva peligrosa, dejaba caer disimuladamente los brazos para rozar sus piernas. Lagunero hablaba todo el tiempo de chicas, lo que, paradójicamente, me excitaba aún más.

Fuimos campeones de la categoría, y el último día, después del partido, el vestuario se convirtió en Gomorra: todos desnudos y abrazados, entonando cánticos gamberros y levantando el trofeo lleno de vino barato, como si fuera una eucaristía. Yo tuve claro entonces que a partir de ese momento debería ganar todos los títulos que se me pusieran por delante para poder celebrarlos de ese modo. Ya no me interesaban los pinceles ni los libros y por fin comenzaba a gustarme el fútbol.

La adolescencia es una edad tempestuosa y tornadiza. La gobiernan —más si cabe que en otras edades— las hormonas, los humores y las glándulas corporales. En esa etapa, la eternidad tiene, en el mejor de los casos, una duración de seis meses. Todo fluye, nada permanece.

A Lagunero le siguieron Jarandilla, Muñoz y Miguel Ángel, que ocupaban distintas posiciones en el campo y me obligaron a modificar mis habilidades y a desarrollar aquellas virtudes que mejor armonizaban con ellos. Los expertos determinaron enseguida que yo era como el jugador más versátil del mundo: podía jugar en cualquier posición. Vinieron a verme ojeadores extranjeros y se interesaron por mí el Bayern de Múnich y el Ajax. Jugué en la selección juvenil, en la sub-17 y en la sub-19. Todos me querían porque servía para cualquier arreglo.

Yo, sin embargo, tenía partidos malos: como los perros galgos de competición, que necesitan de una liebre que les aliente en su carrera, yo necesitaba un amor que me animara. Rendía mejor, además, ante los equipos feos, pues cuando mi rival era un chico apuesto y bien formado me dejaba quitar la pelota con más facilidad. En una ocasión tuve que fingir una lesión para que el entrenador me sustituyera, porque el delantero centro del equipo adversario era tan pintón y tenía unas piernas tan bien puestas que yo me quedaba embobado mirándole y me metía el balón por donde quería.

2

A los dieciocho años todo comienza a cambiar en la vida. La exacerbación se convierte en dolor y la ligereza se vuelve grave, áspera. De repente el aire tiene una tonalidad diferente: es como si el color o la transparencia se transformaran en aroma, como si los sentidos perdieran su capacidad de percepción natural y se ocuparan de cualidades extrañas a ellos. Oler el azul o el amarillo, ver la fetidez.

Después de tantos amores frágiles y fugaces, conocí a Ortega. Mateo Ortega, diecinueve años, lateral derecho, valenciano, jugador titular del Levante Club de Fútbol. Era de estatura baja, con el pelo muy corto y los ojos verdes. Tenía la piel morena, con un color de campesino o de pescador expuesto cada día a la brisa. Corría muy rápido y movía los brazos adelante y atrás exageradamente.

Nos enfrentamos en una eliminatoria de Copa y quedamos emparejados: yo como media punta en el ataque izquierdo de mi equipo y él como lateral de ese flanco. Le había visto alguna vez antes en fotografías o en partidos de televisión, pero no le conocía en persona. Cuando salimos al campo y le tuve frente a mí, dispuesto a dar la batalla futbolística, me quedé paralizado. Hay una emoción que avisa de los momentos sublimes. En ella se confunden extrañamente la exaltación y el horror. Yo la tuve en aquel momento. No supe si debía sentir alegría o pánico.

El juego fue tortuoso. A los diez minutos de partido, hubo un despeje de la defensa que fue a parar a nuestra zona del campo. Mateo y yo corrimos hacia el balón y llegamos al mismo tiempo. Él, un instante antes, consiguió tocarlo con la puntera de su bota hacia la banda, pero nuestros cuerpos en carrera chocaron y caímos juntos y enlazados al suelo de césped. Justo antes de que se produjera la colisión, mientras llegaba, vi su rostro esforzado, sus facciones precisas y suaves, su piel refulgente por el sudor, y me pareció la imagen más hermosa que había visto en todos los días de mi vida.

Él también me miraba. Al caer a su lado, con los brazos enmarañados en su abdomen y las piernas enredadas, sentí una inflamación erótica que me consumió y que me pareció completamente distinta a las que tantas otras veces, con el *Gurru*, con Lagunero o con el resto de mis amores de vestuario, había sentido. Tuve una erección, pero sobre todo tuve un desvelamiento. Cuando me incorporé, le ofrecí la mano para ayudarle. Él me la cogió. Me miró a lo ojos. Había levantado las cejas, era asombro.

Durante el resto del partido hubo muchos más encontronazos. Calculábamos las distancias y la velocidad de la carrera para llegar justo al mismo tiempo y poder chocar. Los brazos, las manos, cada vez eran más hábiles en la colisión. Cada vez se movían con mayor precisión para aprovechar la barahúnda. Tocaban por azar lo que deseaban tocar por deliberación. En uno de esos embates las caras quedaron juntas. Los labios casi se rozaron. Sentí su aliento, el olor de su saliva.

Al final del partido fui a buscarle para intercambiar las camisetas. Fue un gesto extraño, porque en un partido de esa categoría —intrascendente, menor— no procedía hacerlo. Él, sin embargo, me sonrió con entusiasmo y aceptó. Nos quedamos los dos con el torso desnudo. Durante un instante observé con disimulo su cuerpo, el vientre cortado por los músculos, el ángulo inclinado de los hombros. Me ahogué, tuve angustia de llegar algún día a estar muerto. Y de manera irreflexiva, como si fuera un gesto espontáneo, le abracé. Mateo me devolvió el abrazo.

Ese día me encerré en la ducha para que nadie pudiera verme. No dormí. Su rostro comenzó a obsesionarme. Los siguientes días los pasé perturbado. Entrenaba con fervor para que ningún descuido me apartara del equipo en el partido de vuelta. Necesitaba ser titular y confiaba en que él también lo fuera. No podía dejar de pensar en esos encontronazos en carrera, en la brutalidad de su cuerpo arrojado hacia adelante.

Los noventa minutos del segundo partido fueron los más deslumbrantes de mi vida. Los recuerdo como si hubieran sido un relámpago. Mateo y yo volvimos a estar enfrentados y volvimos a competir por alcanzar balones que en realidad no nos interesaban futbolísticamente. Caíamos juntos una y otra vez, siempre enmarañados. Fueron tantas veces que alguien debió de sospechar algún amaño. Yo nunca le esquivaba por la banda y él nunca sacaba el balón regateando: siempre había lucha, colisión, abrazo. Nuestros primeros devaneos sexuales estaban produciéndose en un estadio, delante de miles de espectadores, pero nadie parecía comprenderlo. El disimulo desapareció: yo apretaba mi mano contra su braguero al apartar el brazo, él se derrumbaba con la boca sobre mis nalgas. En el intermedio, el entrenador me reconvino: «Hoy no estás siendo eficaz. Ortega te lo para todo».

Ganamos nosotros, pero yo no fui capaz de celebrarlo. Repetí con Mateo la ceremonia del intercambio de camisetas y nos abrazamos. Era un acto descarado y provocador que podía haber arruinado nuestra fama, porque nadie guarda dos camisetas de otro jugador si no hay voluntades torcidas. Yo quise llevarme también el balón, como si hubiera marcado varios goles o se tratara de una final continental. «Tenemos que vernos fuera de aquí», le susurré al oído. Él no dijo nada. Nos fuimos juntos hasta los vestuarios y allí nos separamos. Yo me encerré de nuevo en la cabina de mi ducha. Primero me masturbé. Luego me eché a llorar con desconsuelo.

Mateo no trató de ponerse en contacto conmigo y no contestó tampoco a mis mensajes. Su equipo y el mío tendrían que enfrentarse aún en la Liga, pero faltaban para ello más de dos meses. Yo me convertí en un loco. Veía sus partidos en la televisión e incluso viajaba a su ciudad discretamente para ir al estadio cuando su equipo y el mío no jugaban el mismo día. Le escribí cartas anónimas y sutiles y conseguí su número de teléfono, pero nunca atendía mis llamadas. Poco antes de que fuera a celebrarse el encuentro, apareció en una revista del corazón un reportaje sobre él en el que se anunciaba su compromiso matrimonial con una modelo colombiana recién instalada en España. Lo leí con estupor, sin poder creerlo, pero mi sorpresa se convirtió enseguida en desolación. Esa noche dormí desnudo, con una de las camisetas de Mateo puesta y con la otra sujeta entre las manos.

No dejé de intentar hablar con él, pero no hubo forma de conseguirlo, de modo que lo fié todo al día del partido. En las vísperas estuve nervioso, irritable. Entrené con cuidado y tomé hierbas tranquilizantes. Fui al estadio con una muda de repuesto y con un neceser de aseo que no solía llevar. Reservé una habitación en un hotel de lujo cercano. Y, aunque soy ateo, recé.

El arranque fue rabioso y emocionante. Nos metieron un gol nada más empezar y nosotros empatamos cinco minutos después. Mateo y yo no habíamos intervenido hasta ese momento. Estábamos emparejados una vez más y merodeábamos uno alrededor del otro. Yo le miraba afiladamente, con una mezcla de súplica y de resentimiento. «Tenemos que vernos después del partido», le dije al pasar a su lado. Él no me respondió. Me sostuvo la mirada agriamente. A pesar del gesto, sin embargo, su belleza se iluminó. Me gustaba esa fiereza, esa vacilación entre la brutalidad y la dulzura.

El primer balón que llegó a mis pies lo enfilé en el centro del campo y corrí en diagonal para abrir el juego. Mateo vino a por mí. Yo frené un poco la carrera para que pudiera alcanzarme, y ahí tuve ya la primera muestra de lo que me esperaba: se lanzó en plancha, con el pie derecho por delante, hasta que me alcanzó en el tobillo y me derribó. Yo sentí desconcierto y dolor, pero tuve reflejos suficientes como para hacer una pirueta y caer hacia atrás, encima de él. Apoyé mis manos en sus muslos y metí fugazmente la yema de los dedos en la embocadura de su pantalón. Los dos uniformes, el de su equipo y el del mío, tenían por fortuna calzones oscuros, lo que disimulaba visualmente las mudanzas.

En esas últimas semanas yo había llegado a albergar dudas acerca de la voluntad de Mateo: ¿y si todo era una figuración mía, un delirio? En aquel momento, sin embargo, cuando caí sobre él por la zancadilla, esas dudas desaparecieron de golpe: su boca abierta, su lengua, buscó deprisa mis labios y hubo un beso invisible, un roce que ninguno de los miles de espectadores del estadio pudo apreciar porque era idéntico a cualquiera de los roces que tienen dos jugadores en lid.

A partir de ese momento, poseído por una euforia temeraria, me entregué al juego sabiendo que aquel era el partido más importante de mi vida. Tenía la seguridad de que

Mateo me amaba y tenía que demostrarle que yo también le amaba a él. Me puse a merced suya. Busqué el balón con empeño para poder llevarlo hasta su zona y enfrentarle. A pesar de mi desinterés en hacerlo, la primera vez conseguí regatearle porque uno de mis compañeros, Armengol, abrió un hueco en la defensa y Mateo tuvo que apartarse para cubrirle. La segunda vez, sin embargo, ya no hubo complacencia: vino hacia mí y me disputó la pelota con rudeza. Me agarró de la camiseta, de la cintura, y luego me derribó teatralmente. Sentí sus piernas sobre mi cara, el olor ácido de la excitación.

En el primer tiempo hubo dos choques más. En uno de ellos, yo quedé dolorido sobre la hierba, tumbado boca abajo sin poder paladear el placer por culpa del daño que me había hecho en la espalda. Mateo se agachó a disculparse y me tocó la cabeza, metió sus dedos entre mi pelo. Tenía los ojos de un color distinto al de siempre, brillantes. El árbitro le sacó la tarjeta amarilla y le pidió que midiera bien sus entradas.

En el descanso, el entrenador me exigió que cambiara mi posición en el campo. «Ortega te está secando y va a destrozarte. Escórate hacia la derecha y deja que Paulino entre por ahí. Él es más corpulento y tiene un juego más duro», dijo. Paulino, obediente, estuvo de acuerdo. Yo no discutí las órdenes, aunque sabía que no las cumpliría. Lo que estaba en juego no era el resultado de un partido, sino el de mi corazón.

Al volver al campo, mientras correteábamos esperando a que empezara el segundo tiempo, busqué a Mateo y le dije en voz baja que le quería. «Te quiero», le dije. Él me miró con una expresión de aborrecimiento que yo, con la candidez que da siempre el amor, creí inspirada por la pasión. «Tenemos que vernos esta noche», le repetí. «Tenemos que vernos ya todos los días del resto de nuestra vida». La tragedia ocurrió en una de las primeras jugadas del segundo tiempo. Ramírez cogió el balón en nuestra defensa, lo llevó hasta la línea media y ahí se lo entregó a Rivera, que al primer toque trató de pasárselo a Paulino. Un jugador contrario lo interceptó, y yo, que desobedeciendo al entrenador estaba en esa zona del campo, agarré la pelota y me fui derecho hacia Mateo. Podría haber tratado de dirigirme a la portería por el centro, más desguarnecido, pero mi objetivo no era meter un gol, sino poder acariciar otra vez a la persona a la que amaba.

Mateo no titubeó: se arrojó al suelo con el pie derecho levantado, mostrando la plantilla negra de su bota, y tajó mi paso. Fue como un cuchillo. Noté un impacto punzante, desabrido, y la cabeza se me fue durante un instante, como si hubiera perdido el sentido. Me derrumbé con un escalofrío de dolor, pero tuve tiempo de empujar hacia adelante el cuerpo para, igual que siempre, caer sobre Mateo. Tal vez no haya habido nunca, en la historia de los amores humanos, ninguna delicia parecida a aquella. La piel se me convirtió en un trueno, en una tempestad marina. Quedé tendido en el césped con la tibia y el peroné rotos y una fractura en las vértebras dorsales que me impidieron volver a jugar al fútbol, pero la ternura que sentí al ver a mi lado los ojos de Mateo, mirándome solo a mí, apaciguados, me hizo ser feliz para el resto de mis días.

Nació en Barcelona en 1977,
aunque muy pronto se trasladó
a Madrid. Publicó su primera
novela con 19 años, *In(h)armóni-
cos* (Premio Joven y Brillante), y
ese mismo año fundó su propia
compañía teatral. Doctorado en
Filología, compagina la docencia con su faceta de novelista
y dramaturgo. Fue finalista al
Premio Nadal 2010 con *La edad
de la ira*, *thriller* que plantea el
problema de la homofobia en
las aulas y que ha sido traducido

Fernando J. López

al francés. Su narrativa, donde
destacan *Las vidas que inventamos*
o *La inmortalidad del cangrejo*, se
caracteriza por su crítico retrato
de la sociedad contemporánea.
También cultiva la literatura
infantil y juvenil (*El reino de
las Tres Lunas*, *Los nombres del
fuego*). Entre sus títulos teatrales
destacan *Cuando fuimos dos*, *Tour
de force* o *De mutuo desacuerdo*,
estrenada simultáneamente en
España y Venezuela en 2014.

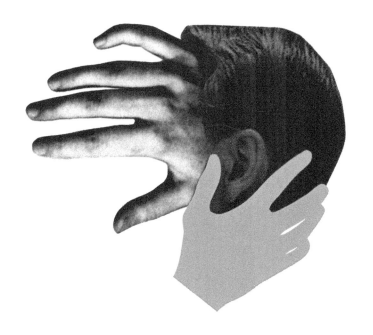

Nunca en septiembre

Nunca estamos más lejos de nuestros deseos
que cuando nos imaginamos poseer lo deseado.
Johann Wolfgang von Goethe
Las afinidades electivas

La vida empieza en septiembre. Me gusta esa sensación de comienzo, de que todo puede cambiar. Y hasta de que yo puedo hacer que cambie... Luego pasa el curso, llega el verano y esa posibilidad se queda solo en eso. En posibilidad. Igual que esta mañana. Esta jodida mañana en la que todo me parece un poco más mezquino. Porque la vida, diga lo que diga Aristóteles, tiene más de potencia que de acto.

A ti no te lo parece, claro. A ti te parece que la vida es acción. «Igual que el rugby». Y yo te respondo que sí, Sergio, aunque tu pasión por ese deporte me resulte tan difícil de entender como a ti la mía por las Humanidades —«Qué manía con eso de hacerte profe, Mario»—, porque no te explicas que a estas alturas siga convencido de que las tizas pueden cambiar el mundo. «Eres un ingenuo, chaval». Y te ríes. En el fondo, elegir caminos diferentes en bachillerato nos ha venido bien. Mejor no volver a compartir aula un curso más. Cuatro años juntos en la ESO ya han sido suficientes, ¿no te parece? Y verme rodeado de gente que no conozco puede que me ayude a rebajar la ansiedad de los últimos meses.

Me he esforzado por olvidarlo, Sergio. Palabra. He intentado convencerme de que tienes razón. De que soy yo quien ha inventado recuerdos que jamás sucedieron. O que, si pasaron, no fueron como creo haberlos vivido. La culpa la tuvo Berlín, y el viaje de fin de curso, y los paseos por Unter den Linden —me gusta cómo suena— en ese mes de abril. He pensado mucho en esos cinco días y aún dudo de si era o no tu habitación el lugar en el que me dejé caer la última noche, arriesgándome a una merecida bronca de Nacho. Tenía que ser él, precisamente el de Filosofía, quien controlara los pasillos del hotel para que no montásemos jaleo en las habitaciones. Mierda, para un profesor que me caía bien de todo el claustro, y me tocaba jugársela a él si quería llegar hasta tu cuarto... Pero valía la pena: no iba a haber otra oportunidad igual. Eso pensé. O eso recuerdo que pensé. Aunque según tú, nunca lo hice.

Yo nunca estuve allí.

No sé cómo trabaja la memoria. Quizás cuando avance en mis futuros estudios de Psicología, o de Antropología, o de Filosofía, o hasta de Filología —ni idea: todavía no sé qué camino escogeré para acabar empuñando la tiza— pueda entenderlo. Pero si lo que hemos vivido es diferente de lo que recordamos, me pregunto cómo puedo verlo —y sentirlo— con tanto detalle. «Movidas tuyas, Mario». Y te empeñas en que lo que te cuento no es más que un relato que nunca pasó, un ejercicio literario de esos con los que gano certámenes escolares que a nadie le importan. Nada que ver con tus competiciones deportivas —«Ya podías ser como tu amigo Sergio», me recuerda mi padre—, mucho más emocionantes y populares que lo mío.

Me dejaste pasar. Eso recuerdo (¿invento?). Y abriste la puerta diciéndome que Santi, tu compañero de habitación, estaba en una fiesta con media clase en el piso de abajo. Entré decidido y me quitaste enseguida la bolsa de cervezas que llevaba en la mano. Nos las tomamos rápido. Luego sacaste unas cuantas botellas de ron barato que tenías escondidas en el armario y seguimos con ellas. Eso lo cambió todo. No sé si en ti o en mí. Pero uno de los dos no estaba igual después de haber bebido tan deprisa —y sin hielo— todo lo que bebimos. Las copas sabían raras. Calientes. Pero nos daba igual. Pusimos el iPod a todo volumen. Súbelo un poco más. *I'm not here. This isn't happening.* Parecía que hubieras elegido la canción a propósito... Y nos dejamos llevar por la música. *Fireworks and hurricanes.* No sé si habría algo de eso. ¿Fuegos artificiales? Me pareció que sí. Que Berlín estallaba en esa habitación. *Yo no estoy aquí. Esto no está ocurriendo.* Ponla otra vez, te dije. Y me reí, porque parecía que nos hubiéramos escapado de una peli clásica. *Tócala otra vez, Sam.* «Qué antiguo que eres, tío». Y volvimos a brindar. Y a reírnos de todo mientras sonaba una y otra vez el mismo tema de Radiohead. «Pásame el ron, Mario». Te puse lo poco que quedaba de la última botella y pensé que estabas jodidamente guapo. Que me moría de ganas de comerte la boca y de compartir esa noche contigo igual que habíamos compartido, en los cuatro años anteriores, tantas otras cosas.

Después nuestros relatos se bifurcan. En la opción A eres tú quien se deja llevar por las copas y dice y hace cosas que yo creo recordar que sí dijimos e hicimos. En la opción B soy yo quien bebe de más e inventa una noche que jamás sucedió y que en los meses siguientes —eternos mayo y junio— tú me negaste una y otra vez.

«No inventes, tío». Y me cuentas que nunca tuve tu mano sobre mi pierna. Ni la agarré con fuerza tratando de que no se moviera. Intentando que se internase un poco más. Que subiese hacia mi cintura. Tampoco acerqué mi cuerpo al tuyo. Ni te miré buscando una respuesta. *I'm not here.* Sube la música, por favor. *I'm not here.* Deseando que tus labios se aproximasen a los míos. Que tus manos siguieran adentrándose en mis piernas. Hacia mi sexo. *This isn't happening.* Me encanta esta canción. *This isn't happening.* No noté una erección brutal. Gigantesca. No te hice llegar a ella hasta que pudiste sentirla moviendo tu mano sobre mis vaqueros. No estábamos a punto de explotar. No sentía cómo me masturbabas encima del pantalón. Ni acercaste tus labios a mi cuello. Ni sentí tus dientes hundirse ligeramente en mi piel. Ni mis brazos rodeando tu cintura. Ni tus brazos abarcando mi espalda. No enredé mis piernas con las tuyas. No sentí que se te había puesto tan dura como a mí. Ni restregamos nuestros cuerpos. No te quité la camiseta. Nunca me desabrochaste la cazadora. Ni nos quitamos los pantalones. *The moment's already passed.* Sube el volumen. Súbelo un poco más. *In a little while I'll be gone.* Esa noche nunca acabamos desnudos en el suelo, entre vasos de plástico y botellas vacías de ron barato.

Volver a Madrid sí fue real. Como todo lo que vino después. Como esta estúpida mañana. Berlín queda hoy muy lejos. Demasiado. Ya no tiene sentido empeñarse en traerlo de regreso. En cuanto aterrizamos noté esa distancia, una lejanía que —me dijiste— había creado yo con mis historias. «No tengo la culpa de que tú sientas algo». Y yo te creí. Porque entonces no podía dejar de hacer otra cosa. No cuando acababas de protagonizar el mejor relato que voy a escribir jamás. El único que jamás presentaré a ningún maldito premio.

Puede que sí te inventara, Sergio. Quizás fuera el alcohol. O quizás ni siquiera tuve que beber para llegar a hacerlo. Porque necesitaba algo que le diese sentido a cada mañana durante esos cuatro años en esta puta clase. Cada «maricón» escrito en la pizarra. Esos que nadie ve. Esos que todos borran mecánicamente, como si no estuvieran allí. Cada frase de mierda grafiteada en mi mesa. O en algún cuaderno. O hasta en la mochila. «Se te nota mucho». Y tu consejo es que se me note menos. «Controla la pluma, joder». Claro. Mejor que no se note quiénes somos. Mucho más cómodo. A ti no se te nota nada, Sergio. «Porque yo no lo soy». Pero te invento en una cama donde sí lo eres. Donde sí lo fuimos. «No te rayes más, anda».

Este verano me he esforzado por convencerme de que no merece la pena seguir escribiéndote. Ni relatándote. He intentado conocer otros protagonistas para mis próximas historias. Pero no es fácil. La tuya me gustó demasiado. Porque antes del sexo que nunca sucedió estaban los sábados en el cine. Los domingos tirados en el parque. La pandilla de frikis que éramos y que lo pasábamos bien intercambiándonos capítulos de *Skins* o de *Juego de tronos* y saliendo juntos los viernes por la noche. Eso hacía que los lunes no me doliesen tanto como empezaron a dolerme después. Qué más me daba saberme marginado en el gran grupo, entre los cánones de la jodida popularidad, si seguía teniendo un lugar en el que sí cabía. Un lugar que era mío. Que era nuestro. Y que, después de Berlín, dejó de ser.

«Estás obsesionado. Eso no nos hace bien a ninguno, ¿no lo ves?». Y me alejaste para que me pudiera desenganchar de ti. Me he pasado el verano tratando de conocer tíos para aliviar el mono. Tíos que he buscado en redes y en la calle.

Sin mucho éxito, no te creas. Pero ahí me tenías en pleno julio dando vueltas por Chueca, o por Malasaña, o caminando —arriba y abajo, abajo y arriba— con la mirada y las ganas preparadas por todo Fuencarral.

No ha habido mucha suerte con gente de mi edad. Cuando estudie Psicología, o Sociología, o lo que sea que al final estudie, te explicaré por qué, pero ahora mismo solo sé que hay demasiada oscuridad. Y demasiado miedo. «Que eso ya no pasa, Mario, no seas coñazo». Y yo te doy la razón porque no tengo ganas de discutir contigo. Te doy la razón, Sergio, aunque esté seguro de que no la llevas. Sigue siendo jodido definirse. Y encontrarse. No se trata de quién te quieres llevar a la cama. Eso no sirve para definir nada. Eso no me responde a *quién* soy. Solo me responde a *con quién* quiero ser. ¿Tú ya sabes quién eres, Sergio? Porque te advierto que averiguarlo es una mierda. Un maldito viaje.

Por eso he ido a hablar hoy con Nacho, para ver si soy capaz de retomar el rumbo. ¿Te conté que nos cruzamos en verano? En uno de mis paseos por Chueca. En pleno Orgullo. Él estaba con alguien, no pude verlo bien. Parecía un hombre de su edad. Moreno. Muy alto. Un tipo con una camiseta de rayas que marcaba una de esas musculaturas que de puro hiperbólicas parecen irreales. Fue solo un segundo. Intenté acercarme y saludarle, pero él no me vio y continuó su camino. Se alejaron deprisa. Había tanta gente allí que no pude seguirle. Y lo perdí.

No he pensado en ese encuentro hasta hace unos días. Hasta que la situación se ha puesto algo difícil. Antes les acojonaba meterse conmigo sabiendo que estabas tú en medio. Impresionas, Sergio. Será el rugby. O tu carácter. O que eres popular a tu manera. O todo a la vez. Pero impresionas. Ahora que no compartimos pupitre, en mi clase hay unos cuantos imbéciles que han creído que es divertido convertirme en su diana. No te creas que me callo. Pero a veces agota. Cansa pasar un año entero a la defensiva. Y no, no te lo he contado porque no quiero que le partas la cara a nadie por mí. No me gustan esas movidas de peli empalagosa. Prefiero ser yo quien se ocupe de ellos. Aunque todavía no sepa muy bien cómo.

Por eso pensé que sería bueno hablar con alguien. Para preguntar cuándo coño se pasa esto. Cuándo van a encajar las piezas que no sé dónde colocar. Así que esta mañana he ido a hablar con Nacho, que estaba solo en su departamento. «Pasa». Me siento y noto que no me mira a los ojos. Continúa corrigiendo. ¿Corrige algo? Desliza un rotulador por folios que no sé si son exámenes o, simplemente, hojas en blanco. «¿Y?». Me detiene cortante. Sigue sin levantar la mirada. Me oye, supongo. Pero ni me está viendo ni me está escuchando. «Insisto, ¿y?». Pienso qué responder… si seguir hablando y sincerarme aún más —contar mis dudas, mi obsesión, mi desorientación— o si dejarlo en una anécdota adolescente —resumirlo en un «nada, da igual»— que concluya esta conversación que tan incómoda le resulta.

Lo malo de tener varias opciones es que siempre escojo la peor de todas. Así que le hablo de Berlín. Del viaje. Le cuento que allí estuve con alguien —tranquilo, Sergio, omito tu nombre—, pero que a lo mejor ni siquiera pasó. Que a lo mejor yo solo quería que sucediera. Le confieso que espero que él me entienda. Que sé que es como yo. Que me gustaría escuchar algo que no sea un tópico. Ni un cliché de esos de serie americana con cuota gay donde las emociones parecen de mentira. Porque las emociones son esta mierda que ahora mismo me pasa. Este amasijo de ideas que no me deja respirar cuando vuelvo a pensar en ti. En Berlín. En la habitación donde nunca estuvimos y en el curso que tengo por delante y donde no vamos a volver a compartir ya nada más. «Nos viene bien no vernos, tío. Así se te pasa». Pero es que esto no se va a pasar. Ni quiero que se pase. Yo esto quiero seguir sintiéndolo con la misma fuerza que ahora tanto tiempo como me sea posible. Porque puede que no elija bien las opciones, pero sí sé aferrarme a una esperanza. Aunque no conduzca a ninguna parte. Eso da igual. Sigue siendo esperanza.

«Creo que te has equivocado de persona». Nacho esboza, sin mirarme, una sonrisa y me dice que consulte con la orientadora. «O con un psicólogo». Me sugiere que lo hable con mis padres —«Agradece que no te sancione por haberte cambiado de habitación»— y me asegura que no pude verle el pasado julio porque en esa fecha ni siquiera estaba en Madrid. «Debes de haberte confundido». Vuelvo a inventar. Mis recuerdos son todos invenciones. Mi vida es ficción. Me da la risa porque siento, de repente, que ni siquiera existo. Solo soy el personaje de un relato que yo mismo escribo. Y pienso en la novela de Unamuno que tanto nos recomendó el propio Nacho el curso pasado y que leí por su culpa. Un personaje que se rebelaba contra su autor porque no le dejaba elegir su camino. El título no lo recuerdo, pero la historia me hizo gracia. No sabía que podía repetirse. Ni que yo iba a sentirme así. Encerrado en un texto donde quiero que se me deje decidir lo que es real y lo que no lo fue.

Si tú fueras mi autor, Sergio, yo no te exigiría un final. Seré un idiota, pero no creo que el amor pueda exigirse. El amor se atraviesa. Y se sobrelleva como lo hago yo con tus silencios y con tu distancia. Si se exige, carece de sentido. Por eso no puedo escribirle un final feliz a nuestra historia, porque no quiero inventar a alguien que no tiene el valor de recordar conmigo. ¿Qué más da que aquella noche sucediera o no, joder? Eso no importa. Lo que importa es que lo recordemos juntos. Que lo pensemos juntos.

Pero no te preocupes. No voy a dejar que me ahogue tu ausencia. Ni esa máscara que me aconsejas y que, lo siento, no pienso llevar ya nunca más. No sé qué dirán los demás cuando me deje ver tal y como me siento. Tampoco me importa. Ya aprenderé a escribir respuestas y silencios. Encontraré el modo de inventar otras historias y otros personajes, porque no todos van a ser tan cobardes. Ni tan mezquinos como lo ha sido hoy Nacho. Como, aunque me duela, lo eres tú. No todos van a negarme lo que sucede. Habrá quienes sí me miren a los ojos cuando me hablen. Quienes no tengan miedo a recordar conmigo. Porque si he podido escribirte a ti, también voy a poder escribirles a ellos. Y cada relato llevará el nombre de su protagonista, de quien se atreva a buscarse a mi lado en ese recorrido que tú no te atreviste a hacer junto a mí. Por eso me sigue gustando septiembre. Porque puedo inventar mi próximo Berlín. Aunque todavía no sepa quién se encargará de escribirme ese viaje. Solo espero que cuando lo haga, su autor recuerde que fue verdad. Que nos descubrimos por azar, que hicimos el amor como salvajes y que nos atrevimos, con el tiempo, a crecer juntos. Espero que escriba que años después acabé entre tizas y mirando a los ojos a un estudiante que viene a hablar conmigo. Alguien que solo necesita que le digan que no se puede tener miedo en septiembre.

Nació en Ciudad Real en 1967 y es Licenciado en Matemáticas y en Historia. Se dio a conocer en la blogosfera con sus escritos sobre *Brokeback Mountain* bajo el apodo de Elputojacktwist. Desde 2006 colabora semanalmente con la sección cultural *Desayuno en Urano* en la web dosmanzanas.com con artículos sobre cine, literatura,

José Luis Serrano

música y arte LGTB. Es coautor del blog de poesía homoerótica *La Taberna del Mar* y bloguero en el *Huffington Post*. En 2011 publicó su primera novela, *Hermano*, y en 2012, su recopilación de cuentos *La tumba del chicle Bazooka*. En 2014 salió a la luz su segunda novela, *Sebastián en la laguna*, que ha cosechado excelentes críticas.

Hipocampos

Dolía verle así, al cabo de los años, arrastrando los pies, despeinado y con tres o cuatro moscas husmeando golosas su bragueta. Juan Carlos, el escayolista. El que se enamoraba de personas, eso decía: yo me enamoro de personas. Con polla, generalmente, y si es grande mejor, eso decía yo, antes y ahora. Entrecerraba los párpados y miraba al sol, que ya desaparecía al otro lado de la M-30. Llegaba cada atardecer, casi siempre con los mismos vaqueros gastadísimos y llenos de grasa y alguna camiseta, que conoció tiempos mejores, de grupos de los ochenta. Blancas o negras con serigrafías de U2, The Cure o los Smiths. Algunas tan raídas que su carne blanquecina y azulada se transparentaba. Nadie parecía tan desnudo como él, por eso gustaba (antes, no ahora): tan blanco, tan azul, decían que era un príncipe, un noruego. Cuando se quitaba la camiseta (no ahora, ya lo dije) todos enmudecíamos: nadie, nunca, tan desnudo como él. Como si no tuviera piel. Y eso gustaba en Legazpi, en los ochenta, cuando todos nos enamorábamos de personas, sobre todo si tenían polla.

Juan Carlos, el escayolista, era un mito allí. Masculino como nadie (cuando quería), con su cuerpo huesudo y unos brazos gigantes, desproporcionados, blancos y llenos de pelo. Como un marinero hamburgués. Labios gruesos (el de abajo; inexistente el de arriba, cruel). Muy morados. Ademanes de bailarina también a su antojo, elegante como una visita de las tías de Serrano o Velázquez. Olía bien: a grasa, a petróleo, a sudor. No hablaba demasiado pero su voz era hipnótica como la de un locutor nocturno. Y hacía todo y a todos complacía: lo mismo le daban viejos que jóvenes, altos que bajos, guapos que feos. Él llegaba, como ahora, al atardecer y se lanzaba a lo primero que se le cruzara por delante. Nunca eligió. Por eso lo del mito: tú ve, estate allí a la hora en la que él llega, ponte delante, que te vea. Nunca dice que no, aprovecha. Jamás te vas a cruzar con uno igual, ni pagando. Así que aquello era un jubileo, en los ochenta, a la hora en la que llegaba Juan Carlos, el escayolista. Se iba pronto: en poco más de media hora nos había satisfecho a todos y ya el resto de la noche era un recordar y un mira lo que me ha hecho y mira lo que le he hecho yo a él, o lo que hemos hecho los tres o los cuatro. Estaba casado y tenía dos pares de mellizos (o de gemelos, que nunca se supo), eso decían. Pero yo nunca lo creí: cada tarde estaba allí y seguía estando al cabo de los años, ahora que tanto dolía verlo, a una hora en la que debería haber contado con gran ayuda en casa para que nadie le echara en cara que no bañara, diera de cenar y acostara a los cuatro, dos por dos, ahora quizá ya en la universidad o casados a su vez, y con mellizos o gemelos también, eso se hereda y se multiplica.

No venía en coche, eso seguro: salía de la boca de metro de Legazpi, en plena plaza, y cruzaba rápido y sin mirar hacia el polígono. Una vez le seguí: a la vuelta cogió el metro otra vez y continuó hasta Sol, donde bajó, supuse que para hacer algún transbordo, pero no me vi con ganas de llegar más lejos con la aventura. Después de todo, ¿qué más daba? Tuve de él lo que quise, lo había tenido ese día y seguiría teniéndolo, aparentemente, siempre que estuviera allí, delante de él, cuando el sol se escondía, en Legazpi. A portagayola, tú ponte a portagayola. De pie, de rodillas, de espaldas: lo que quieras, pero que te vea. No podrá evitarlo: huele la sangre, huele el deseo, el semen. Es como si lo que le excitara no fuera su propio placer sino el placer que provoca en los demás. Eso es la hostia, decían. Si todos fuéramos como él. El puto altruista. El puto que da placer sin pedir nada a cambio, que está dispuesto a todo porque su placer es el de los otros. Por eso abría tanto los ojos, porque quería verlo todo, se acercaba tanto a las bocas para oír los gemidos y hasta los gritos. Para oler el deseo de él en los otros.

Ahora todos le huían: sus ojos desorbitados y casi siempre acuosos y amarillos, la flacidez de sus mejillas, hundidas y amoratadas, alguna herida en los labios y las moscas, siempre las moscas. Hoy me acerqué. Le acaricié el cuello. Esto fue lo que me dijo:

«Todo empezó el día en el que compré dos caballitos de mar, una hembra y un macho. No sé por qué lo hice, supongo que alguien me dijo que era el macho el que tenía a los bebés en su barriga y eso me hizo mucha gracia, me picó la curiosidad. Así que allí estaba yo, un sábado por la tarde, en el metro, cargado con una pecera y dos animalillos extraños a los que llamé Acis y Galatea, por ningún motivo en especial. *Su nombre se debe al peculiar parecido que presenta su cabeza con la de los caballos. De hecho, la característica de tener la cabeza en ángulo recto con el resto del cuerpo no se da en ningún otro género de peces.* Llegué a casa y puse la pecera en la mesa del salón, junto a la ventana, dispuesto a pasar la tarde contemplando las evoluciones de los extraños animales en el agua. Jamás había visto nada tan apasionante. Porque son raros los caballitos de mar, ¿verdad? Raros de cojones. Nadan en posición erecta, como si fueran de paseo. *La hembra usa su ovopositor para insertar los huevos maduros dentro de la bolsa incubadora del macho.* Vamos, que Acis se quedó embarazado a los pocos días. Embarazado o lo que sea. Y yo no me di ni cuenta: parece ser que en solo unos segundos la hembra le pasa los huevos, y él los fertiliza y los guarda. Yo había visto en algún documental que los pequeñajos entraban y salían de su estómago para dar un paseo y luego volvían a la bolsa para comer y hacerse mayorcitos. Pero quizá lo había soñado, porque antes de darme cuenta, la pecera estaba llena de pequeños marcianos semitransparentes que revoloteaban y no volvían a la bolsa de su papá, como una nube de ángeles incansables. O eso creía yo: no debían ser tan incansables porque murieron de agotamiento en pocas horas. Jamás pude olvidar el fondo cubierto de sus frágiles esqueletos amontonados, como nieve de cristal congelada. Decidí estar más preparado para el siguiente parto: colgué una estructura de hilos y alambres que fabriqué cuidadosamente y esperé a que naciera la segunda camada. Cada uno de los caballitos se aferró por la cola casi desesperadamente a mi invento. *No tienen aleta anal. En su lugar tienen una cola prensil que se enrolla en espiral y les permite aferrarse a tallos y plantas subacuáticas.* Les contemplé feliz, hipnotizado: estaban tan tranquilitos allí, tan en su sitio… Una vez solucionado el problema del agotamiento, llegó el problema de la comida. Acis y Galatea comían casi cualquier cosa, yo había leído que *los caballitos de mar son depredadores de pequeños inverte-brados. Poseen un sistema visual con ojos que tienen movilidad independiente entre sí y que les ayudan a reconocer a sus presas, pequeños crustáceos que forman parte del zooplancton. Cuando la presa se pone a su alcance es aspirada a través de su hocico óseo por medio de un rápido movimiento de su cabeza.* Así que yo les echaba un preparado de camarones enanos que vendían en las tiendas de mascotas de mi barrio, pero también migas de pan, restos de frutos secos, algún trocito de merluza cocida y hasta pollo o chocolate. Pero los pequeñitos no comían nada de lo que yo les echaba. Pero nada. Seguramente los trozos eran demasiado grandes para que pudieran aspirarlos por su hocicos óseos y tragarlos enteros. Así que murieron, de hambre esta vez. Casi peor porque fue más lento (tampoco mucho, ciertamente). Les oí (eso creo) agonizar durante horas, de noche. Creí oír sus mínimos relinchos de caballito de mar hambriento, centuplicados. Sus mini grititos se unían en un solo grito demente y atemorizador, tristísimo. Aterrado, empecé a pensar que Acis y Galatea me miraban con odio, sobre todo Galatea, pese a que Acis era el encargado del trabajo sucio. Galatea parecía sin embargo más bien preocupada por que engordaran un poco, quizá para comérselos ella misma. Un par de llamadas a la Facultad de Veterinaria y al Zoo, muy amablemente atendidas ambas, y con respuestas coincidentes, algo que no esperaba, me solucionaron la cuestión: tenía que alimentarlos con unos huevos de no sé qué especie (ya ni me acuerdo) que debería cultivar en un acuario paralelo y que, en el mismo momento de su eclosión, habría que trasladar al acuario de los caballitos de mar hambrientos, que deglutirían los mini animalitos con un solo movimiento de cabeza. Así que allí andaba yo, tarde tras tarde durante unos meses, cronómetro, termómetro, flexo, lupa y pipeta en mano, listo para el alumbramiento ovíparo y posterior traslado al acuario de los hipocampos. Me arruiné con todo aquello: los huevos eran carísimos y difíciles de conseguir, tuve que recurrir al mercado negro y transitar incansablemente desolados polígonos de naves en las que algún tratante asiático consiguió de mí algo más que dinero (pero ya sabes que eso lo consiguen, lo conseguís, todos, siempre). Además, los huevecitos eclosionaban a destiempo: o Acis no había parido o cuando paría ya había muerto la comida. Llegué a desarrollar unos *planning* tan complejos que habrían vuelto loco a un controlador de Heathrow. Acis estaba cada vez más débil, Galatea cada vez más rabiosa y ya expulsaba los huevos (inútiles aún) sin control, sin freno. En uno de los partos (quizá en el número veinte, o veinticinco) Acis murió y Galatea se lo comió. Sola para siempre, me observaba iracunda con uno de sus ojos (el otro estaba al otro lado). No habíamos conseguido sacar adelante entre los tres ni a un solo potrillo acuático. Pero una noche ella me miró de frente. Nunca la había visto así, y el espectáculo era realmente atemorizador: sus aletas y esos ojos rencorosos, y Galatea estática y brillante (pensé que fluorescente), con la habitación a oscuras… Llegué a pensar que saldría del acuario y me mataría, que con un solo movimiento de cabeza me aspiraría a través de su hocico óseo y me tragaría entero, al no disponer de dientes. *Tragan enteras a sus presas al no disponer de dientes, y se ven obligados a consumir grandes cantidades de comida, ya que prácticamente carecen de estómago.* Así que la tiré por el váter, viva y enfurecida de odio. A la mañana siguiente me compré un loro, luego otro, pusieron cuatro huevos, de ellos salieron tres loritos y jamás he vuelto a pensar en tener hipocampos. ¿Sabes? Yo ni siquiera soy escayolista».

Dolía verle así, al cabo de los años, arrastrando los pies, despeinado y con tres o cuatro moscas husmeando golosas su bragueta. Juan Carlos, el escayolista que no era escayolista. Le dije: «Yo tuve loros, de pequeño, pero mis padres los devolvieron porque ejercían mala influencia sobre nosotros. Aprendieron palabrotas, o las traían sabidas ya, y mis hermanas pronto escupían *cabronazos* o *hijoputas* como verduleras israelíes».

Se rio Juan Carlos, el escayolista (me resistía a llamarle de otra forma), y empezó a caminar hacia la plaza de Legazpi, como casi siempre desde hacía mil años, desde los ochenta. No había móviles en los ochenta, hubiera sido la leche tener móvil en los ochenta. Y *tuitear* todo aquello. Esta vez le seguí, de nuevo, como hacía años. Se detuvo en Sol y cambió de línea: la azul, hasta Plaza de Castilla. Salió a la calle, y empezó a caminar hacia la estación de Chamartín. Allí le perdí de vista. No estaba en los baños, eso seguro. Debió de coger alguno de los innumerables cercanías que se desparramaban hacia pueblos desconocidos del norte. Siempre supuse que era del norte, tan blanco, tan noruego, con la piel transparente como los príncipes y esos brazos tan largos, tan desproporcionados, llenos de pelos. Juan Carlos, el escayolista, que criaba caballitos de mar.

Nació en Burgos en 1972. Licenciado en Filosofía y Letras por la Universidad de Burgos, dirigió *Calamar, revista de creación* en su ciudad natal. Ha publicado los libros de cuentos *La marca de Creta* (Premio Setenil, 2008) y *Pampanitos verdes*. Entre sus novelas, destaca la trilogía dantesca conformada por *Inquietud en el Paraíso, La ciudad del Gran*

Óscar Esquivias

Rey y *Viene la noche*. Ha colaborado en diversas obras con el fotógrafo Asís G. Ayerbe (*La ciudad de plata*, 2008; *Secretos xxs*, 2008) y con el ilustrador Miguel Navia, con quien publicó *Chueca* (2014), un libro dedicado a este barrio madrileño. También es autor de varias obras destinadas a lectores jóvenes, como *Huye de mí, rubio* o *Mi hermano Étienne*.

Todo un mundo lejano

Desde hace varios años, organizamos en la parroquia un concurso de belenes. Fue idea, cómo no, de Ismael Bejarano. Ismael se quedó muy sorprendido cuando supo que solo cuatro de los doce niños de su grupo de catequesis ponían el nacimiento en sus casas. En ninguna faltaban los árboles de Navidad o las guirnaldas de acebo (la «decoración druídica», como él la llamaba), en todas se recibían regalos y se organizaban grandes banquetes en los que se comía y bebía en exceso. La ausencia del Niño Jesús en esas casas adulteraba el sentido de las fiestas y las convertía en unas saturnales. Yo dudo que aquellos niños de ocho años entendieran lo que significaba «druídico» o «saturnal», pero Ismael les hablaba así, convencido de que a veces una palabra misteriosa es más eficaz que otra común. Ponía tanto entusiasmo y era tan persuasivo que luego los niños repetían sus expresiones y algunos, los más influenciables, arrancaban los adornos de muérdago de sus casas por «paganos» o afirmaban que Papá Noel era un «brujo estulto» (¡un brujo estulto!) que se había propuesto «desespañolizar España» y acabar con nuestras tradiciones. Ismael era el catequista favorito de los chavales, que presumían de estar en su grupo y miraban a los que tenían otros monitores con cierta conmiseración por su mala suerte.

Entre los catequistas no faltaba quien lo criticara (Ismael tenía ideas políticas muy conservadoras y a menudo las dejaba traslucir en la catequesis infantil), pero todos le queríamos mucho porque era generoso, bueno, muy simpático y vivía con intensidad su fe. No sabíamos cómo podía compaginar sus estudios de Ingeniería y del conservatorio con las muchas horas que dedicaba a la parroquia. Se involucraba en todas las actividades y lo mismo dirigía el coro en la misa del domingo que daba clases de español a los inmigrantes o se iba al monte de excursión con los catecúmenos. El caso es que fue Ismael quien tomó la iniciativa de animar a los niños a que pusieran el nacimiento en sus casas. Me lo imagino arengándoles con ese ardor que imprimía a sus palabras:

—Escuchadme, esto es importante. Seguro que vuestros padres tienen las figuras del belén guardadas en una caja de zapatos. Mirad encima de los armarios, debajo de las camas, en los trasteros. Rescatad al Niño Jesús de su secuestro, no permitáis que se llene de telarañas. Os encargo esta misión, no me podéis fallar. Que por lo menos esté el Misterio en cada uno de vuestros hogares.

«El Misterio», qué expresión. Ismael se refería a las figuras de san José, la Virgen y el Niño, pero así dicho —tan propiamente— parecía algo todavía más profundo y seductor. Luego, para completar la «misión», propuso a los niños que el siguiente sábado recorrieran juntos cada una de sus casas para adorar a Jesús y cantarle villancicos. A los pequeños les entusiasmó la idea.

—Al final, sortearé un premio entre todos los que hayáis puesto el belén —se le ocurrió decir, y eso fue lo definitivo, porque la palabra «premio» es mágica y no hay nada que estimule más a un niño que la posibilidad de una recompensa, aunque le llegue por azar. La noticia se extendió pronto por la parroquia y el resto de catequistas tuvimos que organizar algo parecido con nuestros grupos, ya que todos los niños querían «liberar de su secuestro» al Niño Jesús, «instalar el Misterio» y ganar un premio. Fue todo un éxito y aquel año no hubo casa en Gamonal sin su nacimiento. La gente lo llamó desde el principio «concurso de belenes», aunque de concurso no tenía nada. El propio Ismael insistía en que aquello no era una competición sino una forma de testimonio, de proclamar que éramos cristianos en nuestra vida cotidiana, de dar sentido a las fiestas.

—Lo fundamental es que no cerremos a Jesús las puertas de casa; si no, ¿cómo va a nacer en nuestro corazón? —decía Ismael.

Compuso un villancico que tituló *Jesús, nace, nace en mi corazón* (con dos comas y dos veces «nace», sí, porque —según explicaba— era una «anfibología» y jugaba con el significado del verbo en imperativo y en indicativo). Este villancico, al que Bernardo y yo llamábamos el villancico «anfibio», pronto se convirtió en una especie de himno de la parroquia.

El premio, aquel primer año, consistió en una gran bolsa de caramelos y un Evangelio de San Juan de bolsillo. Entre sus páginas, Ismael puso una flor seca en el pasaje de la oración sacerdotal.

He dado tu palabra a los hombres, Padre justo, y el mundo los aborrece porque no son del mundo, como yo tampoco soy del mundo.

No te pido que los apartes del mundo, sino que los protejas del Mal.

Ellos no son del mundo y yo tampoco soy del mundo.
Santifícalos en tu verdad, tu palabra es verdad.

El verano de 2013 lo pasó Ismael en Viena, seleccionado por una fundación que becaba a jóvenes instrumentistas europeos, y en Ámsterdam, donde asistió a unas clases de Truls Mørk y donde, de paso, aprendió neerlandés, porque Ismael coleccionaba idiomas lo mismo que otros coleccionan sellos o posavasos. Truls Mørk era su violonchelista favorito. Cuando nos habló de él por primera vez, creíamos que se lo había inventado, porque a Ismael le encantaban las bromas y los heterónimos: por ejemplo, hace unos años compuso un motete que atribuyó a William Mutton, un polifonista inglés del siglo XV, y por las mismas fechas publicó en la revista del instituto una *Oda al Santísimo Sacramento* asegurando que era una traducción de Ludwig Xaver Braun, el poeta romántico. Ni el director del coro parroquial de entonces, don Jesús, ni la profesora de Literatura descubrieron que tales autores eran apócrifos. Truls Mørk, sin embargo, sí existía. Ismael estaba suscrito a la revista musical alemana *Kammermusik* y allí se enteró de que este músico había cancelado todos sus conciertos porque había contraído una enfermedad gravísima (no se decía cuál), cuyas secuelas le iban a apartar para siempre de los escenarios y de la docencia. Ismael incluyó el nombre de Mørk en la lista de las personas por las que rezábamos en el círculo joven de oración, así que diariamente nos acordábamos de él y le pedíamos a Dios por su salud. Dos años después, Ismael leyó en *Kammermusik* que Mørk se había recuperado totalmente y que había vuelto a dar recitales y a impartir sus clases en la Academia Noruega de Música.

Ismael estaba seguro de que su curación había sido un milagro y que todo se debía a nuestra fe, a la devoción de ese grupo de españoles que había rogado diariamente al buen Dios por un desconocido de quien no sabían siquiera si era cristiano, solo que se trataba de un gran artista. Ismael nos había regalado un disco en el que Mørk tocaba *Tout un monde lointain...*, un concierto de un compositor francés —para mí absolutamente desconocido— llamado Dutilleux que, no sé por qué, le gustaba mucho; yo, la verdad, solo lo escuché un par de veces porque esa música me impacientaba y, a ratos, me llenaba de tristeza. Cuando a finales de mayo de 2013 Ismael recibió la confirmación de que le habían admitido en las clases magistrales de Mørk en Ámsterdam, se sintió felicísimo. Nos besó a todos al darnos la noticia y nos enseñó la carta en la que le anunciaban las fechas y las condiciones del curso. La única pena que sentía, nos dijo, era que la estancia en Holanda le coincidía con los campamentos parroquiales de agosto y no iba a poder acompañarnos como monitor. Nosotros, por supuesto, le tranquilizamos: ya nos las arreglaríamos sin él, aunque desde luego íbamos a echar de menos su guitarra, sus chistes y su buena mano para preparar macarrones (esto último era una ironía, porque Ismael era un pésimo cocinero). También iban a quedar deslucidos con su ausencia dos clásicos de los campamentos: el partido de fútbol de monitores contra padres que se jugaba el Día de las Familias, en el que Ismael siempre marcaba media docena de goles (la verdad es que no tenía mucho mérito ganar, el equipo contrario estaba formado por cuarentones que nos doblaban la edad y que solían demostrar tanto entusiasmo como mala forma física) y, sobre todo, la celebración de su cumpleaños, que era el 6 de agosto, el día de los Santos Mártires de Cardeña. Para sus amigos era un acontecimiento íntimo y siempre lo festejábamos con una cena de monitores cuando los niños ya dormían en sus tiendas de campaña. Esa noche nos saltábamos las estrictas reglas del campamento y nos permitíamos alguna licencia, como beber alcohol, fumar porros (Bernardo siempre llevaba una china encima) o dejar durante un rato a los niños sin vigilancia para ir a bañarnos desnudos en las gélidas aguas de algún río montuno (a cuenta de esto, en cierta ocasión yo casi pillé una pulmonía en el Pedroso).

Aquel verano transcurrió sin noticias de Ismael, algo que no nos extrañó porque él era poco amigo del correo electrónico o de Facebook. Nos lo imaginábamos en julio caminando por los straussianos bosques de Viena (sonido de cítara al fondo, ritmo de vals en sus pies), pasando horas en el Museo de Historia del Arte (especialmente ante el retrato del infante Felipe Próspero, su Velázquez favorito), cantando lieder de Schubert y Hugo Wolf con su bonita voz (*Angelehnt an die Efeuwand...*), tocando sus piezas favoritas de Bach, Chopin o Ligeti y el solo de violonchelo de la misa *In tempore belli* de Haydn (era una de las obras que iba a montar la *Jugendorchester*) y bebiendo grandes tazones de chocolate a todas horas, porque era muy goloso; luego, en el mes de agosto, lo suponíamos en Ámsterdam, por fin junto a su admirado Truls Mørk, ese músico que parecía llevar tatuado el violonchelo en la «o» de su apellido, el dibujo indeleble del mástil apoyado en el hombro y la pica desplegada. Mientras tanto, nosotros estuvimos muy ocupados en los campamentos parroquiales. Aquel año vinieron del seminario diocesano algunos monitores nuevos, entre otros el jefe del campamento, Teo. Instalamos las tiendas en Pinilla de los Moros, como otros años. Un niño se hizo un esguince y tuvimos que llamar a sus padres para que se lo llevaran de vuelta a casa. Otro se resbaló por un terraplén y a un tercero le mordió el perro de un pastor, pero a estos los curaron en el ambulatorio de Salas de los Infantes. No hubo mayores incidentes y todo se desarrolló más o menos como otros años: marchas por el campo, mucho deporte, misas de campaña, fuegos de campamento, picaduras de tábanos, caza nocturna de gamusinos, canciones, juegos y charlas espirituales. El Día de las Familias ganamos 12 a 5 a los padres (yo metí tres goles). El 6 de agosto nos acordamos del cumpleaños de Ismael y los monitores nos hicimos una foto con las cabezas arracimadas (Bernardo con los ojos desorbitados, sacando la lengua). Se la mandamos por el móvil, junto con un mensaje lleno de besos, abrazos y veintidós tirones simbólicos de oreja, uno por cada año que cumplía. No recibimos respuesta, pero —como digo— no nos extrañó. Dio la casualidad de que aquel mismo día cumplía años Teo, el mexicano: organizamos una cena clandestina, bebimos cervezas, no fumamos porros (a Teo no le pareció conveniente), le cantamos *Las mañanitas* bajo la luz de las estrellas y después fueron al Pedroso a bañarse (yo me quedé de guardia en el campamento por indicación de Teo). Cuando volví a casa a mediados de agosto, encontré una postal de Ismael en el buzón. Era un cuadro del Rijksmuseum, una vista de un patio cairota pintado por un tal Famars Testas (otro nombrecito raro que, si no lo hubiera visto impreso en la tarjeta, lo habría supuesto una de las invenciones de Ismael). No contaba nada sobre Truls Mørk ni sobre sus aventuras estivales por Europa. Tras el saludo («Paz y bien, querido Mateo») había escrito unos versos en alemán, idioma que habíamos empezado a estudiar juntos hacía años, en mi caso con poco provecho.

Ein Gott vermags. Wie aber, sag mir, soll
ein Mann ihm folgen durch die schmale Leier?
Sein Sinn ist Zwiespalt. An der Kreuzung zweier
Herzwege steht kein Tempel für Apoll.[1]

Y luego «¡Abrazos!» (con exclamaciones) y su nombre, con grandes letras mayúsculas, muy separadas, como si fuera un niño que aprende a escribir:

I S M A E L

En septiembre le llamé por teléfono varias veces, pero nunca me respondió. Cuando empezó el nuevo curso y nos convocaron en la parroquia, tampoco apareció en la reunión. El nuevo coordinador de los grupos de catequesis era precisamente Teo, a quien el arzobispado había enviado de diácono para ayudar a don Ángel. A todos nos alegró, porque tanto el párroco como don Jesús, el vicario, eran unos pésimos organizadores y cualquier cosa que dependiera de ellos estaba sujeta a mil cambios e improvisaciones. Teo era serio, responsable y un evangelizador nato. Aquel primer día ya había elaborado una lista con los grupos de catequesis (tanto de niños como de adolescentes y adultos) y otra con los catequistas disponibles.

—Hay un error, aquí falta Ismael —dije, señalándole la

---

1 *Es posible para un dios. Mas, dime, ¿cómo / un hombre podrá seguirle a través de la estrecha lira? / Su pensamiento está dividido. Donde se cruzan dos / sendas del corazón no puede alzarse ningún templo para Apolo.* Rilke, *Sonetos a Orfeo.* Soneto III.

fotocopia que nos acababa de entregar—. Ismael Bejarano.

—Bejarano este año no va a dar catequesis —respondió Teo.

Miré sorprendido a su madre, Encarna, que también estaba presente, pero ella bajó los ojos.

En el círculo de oración empezamos a rezar por Ismael. Según Encarna, había vuelto del extranjero muy cambiado. Ahora Ismael estaba apático, silencioso, esquivo. No quería ver a nadie, apenas comía, se mostraba distante hasta con sus hermanas pequeñas. Sus padres pensaron que quizá se sentía disgustado porque le habían obligado a estudiar Ingeniería Técnica (consideraban que la música no tenía futuro profesional) y se mostraron dispuestos a ceder y a permitir que aquel año se dedicara exclusivamente al violonchelo, pero era otro el problema: de hecho, decía Encarna, desde que volvió de Ámsterdam no había vuelto a tocar. Lo que más apenaba a sus padres era que había dejado de ir a la iglesia. «Se le ha enfriado la fe», resumió Encarna. Su hijo había empezado a acudir a la consulta de un psiquiatra, pero ellos habrían preferido que se hubiera acercado a hablar con don Ángel, o con Teo, o con cualquiera del grupo parroquial, especialmente conmigo o con Bernardo, que éramos (nos calificó así) «sus mejores amigos». Ismael se había negado en redondo.

Eso de que la fe se enfriara era una expresión que utilizábamos en la parroquia. Conocíamos los síntomas. A veces, a uno de nosotros le notábamos una sombra en la mirada, una falta súbita de entusiasmo, cierto reparo a juntarse con los demás, a participar en las actividades comunes. Dejaba de comulgar, se retraía, se «enfriaba». Era algo por lo que todos, más o menos, habíamos pasado. Bernardo había estado casi diez meses apartado de la Iglesia, todo su primer curso en la universidad. El propio párroco, don Ángel, tuvo una crisis hacía un par de años. Se retiró quince días, hizo unos ejercicios espirituales con los jesuitas y después volvió con el ánimo recuperado. Ismael, por lo visto, también había descendido a ese sótano helado de dudas y desafecto. Se me hacía muy raro tener su nombre en los labios cada noche, cuando recitaba la lista de peticiones del círculo de oración. Mi último recuerdo antes de dormirme era para él. Empezó a aparecer frecuentemente en mis sueños.

Un día, por casualidad, me encontré con Ismael. Fue en el parque de Fuentes Blancas, a finales de octubre, en una mañana otoñal en la que los chopos habían mudado el color de las hojas y se habían revestido con sus capas pluviales doradas, esplendentes. Las ramas tamizaban y casi pintaban la luz del sol de oro viejo y cantaban como sonajeros al levantarse el viento. Pasear entre las infinitas hileras que flanquean el Arlanzón era como hacerlo por una catedral áurea de nervaduras góticas, con nidos de pájaros en vez de claves. El paisaje estaba transfigurado. En aquella suerte de bosque de Kítezh parecía que se abría el sendero que llevaba al reino de la poesía, que esas frondas eran las de los poemas de Garcilaso o de Góngora, que allí estaba el epitafio de Elisa y que en aquellos troncos gallardos —papel de pastores— figuraban grabados los nombres de todos los enamorados de Burgos.

Yo había salido a pasear con el cuadernillo donde escribía mis poemas. Cerca del puente de la Ventilla, me aparté del camino para dejar pasar a un ciclista que venía a toda velocidad, pero este frenó ruidosamente cuando llegó a mi altura. Era Ismael. No lo reconocí hasta que se quitó el casco y las gafas de sol. Me dio un abrazo. Olía poderosamente a sudor, tenía la espalda empapada, las mejillas enrojecidas. Me miraba sonriente, en silencio, jadeante. ¿Qué tal estás, Ismael? Bien. Hace mucho que no nos vemos. Mucho, sí. ¿Cómo te fue con Truls Mørk? Bien. ¿Es simpático? Sí, mucho. Silencio. Me acuerdo mucho de ti, Ismael. Yo también. Silencio. Pásate un día por la parroquia. Lo haré. O llámame. Claro. Silencio. Rezo por ti. Gracias.

Luego nos quedamos callados. Me dio un beso, se puso las gafas, se ajustó el casco y se alejó pedaleando.

II

Ubi est?

En mi grupo de catequesis de aquel año estaba la hermana menor de Ismael, María Inmaculada, que ese curso se preparaba para su primera comunión. Compartía con su hermano el mismo carácter simpático y, a la vez, puntilloso (por ejemplo, no permitía que la llamáramos «Inma» o «Inmaculada», siempre teníamos que decir «María Inmaculada» y si no, no respondía). Gracias a ella supe que Ismael ya no vivía en Burgos. Se había trasladado a San Sebastián para estudiar en el Musikene, ¿en dónde has dicho?, el Musikene, y le daba clase Asier Polo, ¿quién?, Asier Polo, el mejor violonchelista de España —explicó, muy ufana—, y estaba muy contento y había empezado a nadar en un equipo y había ganado ya una medalla y también cantaba en un coro y vivía en un piso muy muy pequeño con otro chico músico muy muy simpático y desde la ventana de su cuarto se veía el mar y había aprendido algo de vasco y le había dado unas clases por teléfono y ella ya sabía saludar (*zer moduz, Mateo?*) y contar hasta diez (*bat, bi, hiru...*). Yo no tenía ni idea de qué era eso del Musikene, ni había oído hablar del tal Asier Polo, «el mejor violonchelista de España» —solo conocía a Casals, Rostropóvich y Truls Mørk, y este era el único que estaba vivo—, pero supuse que —aunque María Inmaculada exagerara— eso significaba que su hermano se había volcado en la música y que las cosas le iban bien. Ismael no había vuelto a ponerse en contacto con ninguno de nosotros y seguía sin responder a las llamadas que le hacíamos Bernardo y yo.

Empezó el Adviento y la preparación de la Navidad. Teo nos dio una doble alegría: por una parte, había decidido mantener el concurso de belenes (que tenía algunos detractores en la parroquia porque consideraban que favorecía la ostentación de ciertas familias) y, por otra, nos comunicó a los catequistas que podíamos participar en una peregrinación a Roma para recibir la bendición del Año Nuevo, la primera del pontificado de Francisco. La parroquia de San Ildefonso de Valladolid había organizado el viaje y habían conseguido llenar tres autobuses y medio: el vicario era muy amigo de Teo y le había ofrecido las veinte plazas que les quedaban libres. Los autobuses saldrían de Valladolid el 31 de diciembre, pasarían por Burgos a media mañana y luego seguirían hasta Barcelona, donde embarcarían en un ferry que, tras navegar toda la noche, llegaría a Civitavecchia a las seis de la mañana, a tiempo de seguir el viaje en los mismos autobuses y llegar a la basílica de San Pedro para asistir a la misa, a la bendición papal y luego al ángelus en la plaza. Comeríamos en Roma y, por la tarde, volveríamos a Civitavecchia, y de allí a casa.

—¡Vaya paliza de viaje, es un disparate! —dijo Bernardo, pero fue el primero en apuntarse. Yo también lo hice. Era muy barato porque la parroquia de San Ildefonso corría con los gastos del autobús (los habían sufragado, muy propiamente, vendiendo lotería de Navidad) y nosotros solo teníamos que pagar los pasajes del barco, que eran muy económicos.

Entonces se me ocurrió una idea.

—¿Podemos proponérselo a Ismael Bejarano? Igual le hace ilusión.

Teo dudó durante unos segundos, pero finalmente me dio permiso.

Justamente aquel sábado íbamos a visitar los belenes de los catecúmenos. Yo había quedado con mi grupo a la puerta de la iglesia y allí estaban puntualmente los diez niños, con sus gorros de lana, sus panderetas y sus zambombas, como si fueran una postal de Navidad. Le pregunté a María Inmaculada si su hermano iba a estar en casa y, para mi alegría, me dijo que quizá, que Ismael ya tenía vacaciones en el Musikene y que había anunciado que se presentaría a comer, pero ella no sabía a qué hora salía de «Donosti». Organicé el recorrido por las casas de tal manera que la última fuera la de los Bejarano, con la esperanza de que a Ismael le diera tiempo de llegar a Burgos.

Según lo pegajosa que fuera cada familia, las visitas a las casas eran breves o larguísimas. Subíamos todo el grupo, saludábamos a los presentes, nos enseñaban el belén (que solía estar en el recibidor o en el salón; en ocasiones había varios y los recorríamos todos como un viacrucis), cantábamos un par de villancicos, pampanitos verdes, hojas de limón, rezábamos un avemaría y nos íbamos. A menudo había un enfermo en la familia, una abuela en silla de ruedas o alguien encamado que reclamaba nuestra presencia en su habitación, y todo el grupo nos dirigíamos apelotonados y respetuosos (ay, esa gravedad infantil) por el pasillo estrecho hasta aquel cuarto, siempre al fondo, donde vegetaba una vida entre tufo a linimento y a heces. Los niños rodeaban la cama y, yo me remendaba, yo me remendé, yo me eché un remiendo, yo me lo quité, dedicaban un villancico al paciente, que agradecía con una sonrisa desdentada, a veces con un brillo en la mirada, a veces ni eso. A mí me emocionaba mucho entrar en esos humildes y atestados pisos del barrio de Gamonal en los que convivían tres generaciones, esas casas tan parecidas a la mía, todas ellas con olor potente a guisos lentos y sustanciosos, muchas forradas con papeles estampados de los años sesenta, algunas todavía con cocinas de leña, el Sagrado Corazón en la puerta y crucifijos sobre las camas.

—¿Cuándo se sabe quién ha ganado? —me preguntaba alguna madre. Yo contestaba repitiendo las palabras de Ismael.

—Aquí nadie gana ni pierde. El premio lo sorteamos entre todos los participantes. Lo importante es que no cerremos a Jesús las puertas de casa; si no, ¿cómo va a nacer en nuestro corazón?

—Así se habla.

Bernardo y yo, en secreto, habíamos instituido un premio clandestino al belén más extravagante. Entre los candidatos de aquel año estaba, por ejemplo, uno colocado en un mueble bar: bajaron la tapa y allí tenían a la Sagrada Familia, escondida entre botellas culonas de güisqui, coñac barato y pacharán (eso sí, adornadas con cintas de espumillón, estrellas y campanitas de colores). En otra casa, además de los consabidos rebaños de ovejas y cabras que pacían en el musgo betlemita, tenían una fauna de elefantes, jirafas, jaguares y dinosaurios. En el siguiente, el castillo de Herodes ocupaba el lugar principal, custodiado por una legión entera de soldaditos romanos en perfecta formación, con sus emblemas aquilinos y sus lanzas; junto a ellos también había un escuadrón de húsares napoleónicos y una cuadrilla de jenízaros; por su parte, el Niño estaba escoltado por dos motoristas de la Policía Municipal de Burgos (el dueño de la casa, Luis Melero, era historiador aficionado e inspector de Policía, además de amante de las maquetas). El belén más aparatoso era, cómo no, el del vecino más ilustre del barrio, el concejal de Mercados: se trataba de un pesebre de ínfulas napolitanas, con las imágenes vestidas con trajes de fieltro (que había diseñado y cosido su propia esposa, según presumió) y, quizá por el cargo de su propietario, parecía un catálogo de gremios: panaderos, lavanderas, herreros, carpinteros, alfareros, pastores, hilanderas, taberneros, sopladores de vidrio, todos afanadísimos en sus labores. María Inmaculada, con disimulo, me señaló las coronas de acebo que adornaban las puertas de esa casa y me dijo al oído: «Decoración druídica».

Por supuesto, yo elogiaba todos los belenes con idéntico entusiasmo («Es precioso, tiene mucho mérito, es de los mejores», decía siempre) y cantábamos mirando al

Niño Jesús, estuviera rodeado de botellas, brontosaurios, mamelucos o *caganers*. Los niños disfrutaban de lo lindo. Les emocionaba mucho visitar las casas ajenas y enseñar las propias. Siempre había una madre o una abuela obsequiosas que, pese a mis protestas, les llenaban los bolsillos de caramelos o les daban propina. A los catequistas (yo hacía la ronda con Bernardo, que tocaba la pandereta muy bien) nos ofrecían una copita de moscatel o de champán que no había forma humana de rechazar sin desairar a la anfitriona, así que llegamos a la última casa —la de Ismael— un poco borrachitos, esa es la verdad.

Nos recibió Encarna. Me impresionó mucho verla tan abatida. Ella también era catequista, pero de los grupos de confirmación, así que hacía semanas que no coincidíamos en la parroquia. Siempre había sido muy guapa y más bien coqueta. En las procesiones llevaba el pendón de la Adoración Nocturna porque sus propias compañeras la consideraban la más esbelta y elegante, y alababan cómo le sentaba la mantilla y la buena imagen que daba. Sin embargo, aquel día aparentaba muchos más años de los cuarenta y pocos que yo le calculaba, quizá por su cabello mal teñido, entreverado de blanco, sujeto por una diadema, algo raro en ella porque solía llevar el pelo recogido en un moño italiano, como una actriz. Nos recibió con dos besos muy intensos en las mejillas a Bernardo y a mí y nos pasó al salón. Allí estaba el belén, ocupando una mesa cubierta por una gran bandera de España que recorría todo su perímetro. Las figuras eran de plastilina.

—Las hizo Ismael en el colegio, de niño —nos explicó Encarna, con la voz estrangulada.

—Es un belén precioso, de los mejores —respondí yo.

Lo pensaba sinceramente, pero, como repetí la misma fórmula de siempre, me sonó a falso.

—Te hemos preparado una sorpresa, Encarna —dijo entonces Bernardo con voz festiva, y, a un gesto suyo, todos los niños empezaron a cantar el villancico anfibio, «Jesús, nace, nace en mi corazón».

Encarna sonrió con una mueca muy difícil, temblona, que se dibujaba y desdibujaba en sus labios palpitantes y, al cabo de unos segundos, salió llorosa de la habitación. Volvió poco después con una bandeja atestada de mazapanes, bombones y turrón para los niños.

En un aparte, Encarna me dijo que Ismael había llegado hacía una hora, pero al enterarse de que íbamos a pasar por casa, se había ido con la bici a Fuentes Blancas. Le conté mi propósito de invitarle a la peregrinación de Roma y ella se comprometió a intentar convencerlo, aunque creía que no había ninguna posibilidad de que aceptara. No sabía qué hacer con él, me confesó. Ismael estaba mal, ella estaba mal, su marido estaba mal, todos en casa estaban mal, y apenas podían ya disimular ante las niñas pequeñas. Se sentía desorientada, muy triste. La crisis de Ismael venía de más lejos de lo que imaginábamos. Les había confesado que había hecho las pruebas de acceso al Musikene en junio, antes de marchar a Ámsterdam. Lo tenía todo preparado, les había mentido sobre la razón de aquel viaje a San Sebastián diciéndoles que iba a unos ejercicios espirituales. ¡Ejercicios espirituales! Qué ciegos habían estado. Ni siquiera habían desconfiado de que se llevara el violonchelo. ¿Te imaginas a Ismael mintiendo?, me preguntó. No había dicho una mentira jamás, ni de niño (yo me acordé de sus motetes y poemas de Mutton y Braun, pero no dije nada). Había sido la persona más noble, más sincera, más buena del planeta (ahí le di la razón). ¿Qué le había pasado? ¿Dónde estaba el Ismael estudioso y responsable? ¿Dónde el Ismael piadoso, cristiano, generoso? Ahora le sentía distante, frío, antipático, ajeno. Le había registrado los cajones de su cuarto y había encontrado cosas que yo ni me podía imaginar (sí podía, pero me callé). Ismael había roto con su vida anterior, con todo lo que le importaba antes de aquel verano.

—Con todo, menos con el violonchelo.

Encarna decía «violonchelo» con rabia. En realidad, usaba esa palabra por no decir otra cosa. Me di cuenta cuando quise consolarla.

—Ismael tiene vocación por la música —le dije—, es un don que le ha dado Dios. Seguro que cuando se centre en el estudio estará más tranquilo y volverá a ser el de antes.

—La música es una excusa —me replicó al instante, casi furiosa. Luego, tras una pausa, añadió—: Hablad con él, por favor, sois sus amigos.

Yo ya sabía que la música era una excusa para abandonar la casa. Lo sabíamos todos. Lo que no sabía era si podíamos considerarnos amigos suyos. Era imposible hablar con Ismael. Yo llegué a pensar que, por alguna razón inexplicable, nos despreciaba, me despreciaba.

III
Año Nuevo en el mar

Hacía mucho frío y por eso —y porque eran ya las cuatro de la madrugada— no quedaba nadie en la cubierta del ferry. Volvíamos de Roma, después de un día agotador y emocionante. Bernardo había comprado una docena de cervezas Peroni que había alineado sobre la mesa en perfecta formación («como el belén de Melero», dijo) y nos las íbamos bebiendo lentamente, una a una. El bar estaba atendido por un filipino delgado, jovencísimo de aspecto, muy guapo y triste, que hablaba español con inflexiones italianas. Desde el otro lado de la cristalera veíamos cómo fregaba vasos y atendía a los pocos clientes solitarios que se acodaban en la barra. Ninguno de ellos se atrevía a salir al exterior. Bernardo había liado un porro muy torcido y desigual. Se disculpó diciendo que con el frío no tenía sensibilidad en los dedos. Le costó prenderlo, solo conseguía sacar chispazos —que casi parecían de pedernal— del mechero. Mirábamos a veces hacia el mar (a lo lejos, se veían las luces de las embarcaciones que se cruzaban con la nuestra), otras al filipino, otras a la lona que cubría la piscina y que temblaba con el viento como una membrana. El viento sacaba de sus gomas tensas sonidos de arpa eólica o de algún instrumento exótico, oriental, cuya caja de resonancia era la propia piscina vacía.

Ismael no había venido a la peregrinación a Roma, pero sí su madre y también su hermana pequeña. Encarna seguía deprimida. Llevaba siempre puestas unas grandes gafas de sol para que no le viéramos las ojeras y las lágrimas. Su elegancia innata, su atuendo y su aire esquivo parecían los de alguien famoso que quisiera pasar inadvertido, tanto que en Civitavecchia unos empleados del puerto le pidieron un autógrafo al confundirla con una actriz llamada Sandra Ceccarelli, de cuyo parecido hicieron toda clase de elogios cuando ella les sacó del error. Luego me pidió que buscara fotos de esa actriz en internet y, cuando se las enseñé en la pantallita del teléfono, se entristeció porque le parecía una mujer vulgar. A mí esta Ceccarelli me resultó, sin embargo, muy atractiva y extraordinariamente parecida a Encarna.

Habíamos llegado al Vaticano a las ocho de la mañana, dos horas antes de que empezara la misa. Tuvimos que presentarnos con tanta anticipación para pasar el control policial y situarnos en el lugar que habían reservado al grupo de Valladolid, que estaba a los pies de la basílica, en la nave izquierda. Había tanta gente y nos encontrábamos tan lejos del altar papal que no veíamos nada de lo que pasaba bajo el baldaquino, así que estuve casi toda la misa con los ojos cerrados, concentrado en lo que oía, o bien miraba el sepulcro de los Estuardo, que tiene esa puerta tan inquietante hacia la muerte ante la que lloran dos ángeles. Cuando escuché la bendición del Año Nuevo retumbando por los altavoces vaticanos, me emocioné mucho.

Il Signore ti benedica e ti protegga!

Il Signore faccia risplendere il suo volto su di te e ti sia propizio!

Il Signore ti guardi con amore e ti conceda la pace!

Pensé en Ismael y, allí mismo, ante los ángeles de mármol de Canova, le escribí un mensaje en el móvil con el último versículo de la bendición: «Que Dios te mire con amor y te dé la paz. Feliz 2014».

Todo esto había pasado hacía solo unas horas, pero me parecía un tiempo lejanísimo. Bernardo y yo estábamos muy cansados. La noche anterior no habíamos pegado ojo y en aquella llevábamos el mismo camino. Nuestros pasajes eran los más baratos del ferry y no teníamos camarote ni cama para descansar, solo las butacas de una gran sala que parecía un cine. Aunque el barco iba medio vacío, los reposabrazos impedían que uno pudiera tenderse a lo largo de las butacas libres. Por su parte, los sofás que había en distintas salas habían sido ocupados por los viajeros más experimentados, que ya se conocían estas triquiñuelas y dormían acostados. Nosotros preferimos salir al exterior y pasar la noche en vela.

Hablábamos poco. Bernardo estaba ronco de cantar. No había dejado de hacerlo tanto en el viaje en autobús (el grupo vallisoletano resultó muy alegre y cantarín y fue coreando canciones todo el tiempo) como en la Plaza de San Pedro, cuando el papa se asomó para rezar el ángelus y saludar a los fieles de todo el mundo. Ahora, después de tantas horas juntos y con tanto cansancio acumulado, teníamos poco que decirnos. Bebíamos cerveza sin mirarnos, como ausentes. Al cabo de un rato, como siempre que se emborrachaba, Bernardo se puso cariñoso y empezó a sobarme y a buscar mis labios.

Le aparté y le dije:

—Para, que nos van a ver.

En realidad no nos podía ver nadie, salvo quizá el camarero filipino, a quien poco le debía de importar lo que hicieran esos dos turistas locos que estaban sentados a la intemperie. Pero yo no tenía ganas aquella noche de manoseos ni de sexo, y menos con Bernardo, de quien ya me conocía sus escrúpulos y remordimientos al día siguiente, cuando recuperara la sobriedad.

Seguimos bebiendo en silencio. Había dejado el teléfono sobre la mesa, junto al disciplinado batallón de cervezas. En aquel momento, se iluminó la pantalla y escuché el sonido de un mensaje que llegaba. Fue como ver un cometa en el cielo, el signo de algo excepcional. El mensaje era de Ismael. Decía: «Gracias, feliz Año Nuevo. ¿Nos vemos mañana?».

Permanecí mirando el móvil durante unos segundos, incrédulo, hasta que se extinguió la luz de la pantalla. Bernardo empezó a besarme otra vez y le dejé hacer. Ahora me sentía exaltado, feliz. Su lengua se juntó con la mía durante un rato. Empezó a desabotonarme la bragueta, que tenía henchida.

—Vamos donde no nos vean —le dije.

Nació en San Sebastián en 1976. Con 16 años publicó su primera novela, *La aventura más excitante de los últimos 10.000 años*. Durante la época universitaria escribió el poemario *Corazón imberbe*, algunos de cuyos poemas vieron la luz en el magacín *Momodijidopos*, del cual fue cofundador. Más tarde ganó el Premio de cuentos Beatriz Vicente con un relato en euskera, *Maitusanaren ispiluak (Espejos de amor)*. En 2002 fue galardonado con el

Óscar Hernández

Premio Odisea por la aclamada *El viaje de Marcos*, cuyas numerosas ediciones la han convertido ya en un clásico de la novela gay en España. En 2004 publicó *Esclavos del destino*. Ha participado en publicaciones como *Shangay, Malagay, Lupa, Lau Haizetara* y *Gehitu Magazine*. Licenciado en Derecho y profesor de Geografía e Historia, reside en Valencia y se dedica por completo a la literatura.

¿Azul o verde?

A Josema, todo pudo acabar de otra manera...

Todo seguía igual. Las laderas verdes, las ovejas arremolinadas, los almiares salpicando los bajos montes enmarañados con jirones de niebla. La luz del sol rompiendo poco a poco las murallas de oscuridad del fondo del valle, el agua del río retorciéndose para esquivar peñascos y saltando medio metro aquí, unos pocos centímetros allí. Los caseríos, impertérritos, coronando las colinas, observando estáticos las estaciones, los días, las lunas...

Todo seguía igual, todo se veía inamovible desde la ventanilla del coche que serpenteaba junto con la estrecha carretera que lo llevaba hacia lo que había sido su hogar. Y un nudo iba forjándose en la boca de su estómago conforme el vehículo se dirigía hacia su pueblo, hacia aquel pequeño montón de casas de piedra que salpicaban el valle del Goikoa, desde las mismas orillas del riachuelo hasta lo más alto de los montes, donde su caserío reposaba rodeado de la vida que había dejado dos años atrás.

Aquel nudo crecía y crecía con cada kilómetro que avanzaba, con cada kilómetro que restaba a su regreso. Un nudo que se había formado en cuanto su mirada —su aspecto— se topó con la de sus padres, media hora antes, en el aeropuerto. Vio cómo la sonrisa en sus rostros se deshacía cual cubito de hielo al sol. Y al mismo tiempo sus tripas se sellaban, rugían, se retorcían. Dos años estudiando en Brighton, eso había sido todo. Para él, para Mikel, fue más que todo. Se había ido siendo un niño, volvía siendo un adulto. Su cuerpo había cambiado, su mente había encontrado respuestas y nuevas preguntas habían surgido, su apariencia luchaba por ajustarse a sus sentimientos pero todo a su alrededor seguía terriblemente igual. Y cuanto más se acercaba a casa, más física era la sensación de desasosiego.

—¡Para, aita! —gritó. Y se tiró del coche justo a tiempo de vomitar aquel nudo sobre la hierba.

Tosía cuando su madre lo alcanzó.

—Estoy bien.

—Las curvas, ya no estás acostumbrado.

Su padre miraba desde el coche, con el motor en marcha, mascullando algo ininteligible, como solía hacer cuando rumiaba un reproche. Observaba a su hijo, allí arrodillado en el arcén, vestido con unos pantalones azules demasiado ceñidos, con una camisa de cuadros abierta y arremangada sobre una camiseta interior gris demasiado apretada, zapatillas amarillas y un gorrito de lana del mismo color con un pompón ridículo. Sus facciones se habían angulado pero apenas se le notaba la sombra de la barba; seguía teniendo el cutis de un niño en los rasgos de un adulto, que bien podrían ser los de una mujer. Su cuerpo era delgado, sus formas y gestos demasiado delicados, y sus uñas... pintadas de azul... o verde...

Llegaron al pueblo a media mañana. La calle, única y estrecha, que tenían que seguir para acceder al desvío que llevaba valle arriba hasta su caserío, estaba flanqueada por las tiendas y los pocos negocios que había en el lugar. Era un día laborable de septiembre, un día normal, a una hora normal, y como atraídos por una señal inaudible para el resto del mundo, los habitantes de Goiketxe fueron asomándose a puertas y ventanas, formando lo que podría haber sido una masa de espectadores al paso del coche, como en un desfile. Mikel miraba a sus vecinos, quienes hasta hacía dos años habían sonreído a su paso, quienes lo llamaban Mikeltxo cariñosamente y hacían negocios con su padre, uno de los ganaderos más boyantes de toda la provincia. Y sin embargo sus miradas eran escrutadoras y severas. Ya se lo había dicho su hermana por internet, en el pueblo había rumores. Dos años fuera de casa sin volver ni siquiera para navidades era sospechoso. ¿Qué padres consentían aquello? El chico tenía dieciséis años cuando se marchó, era muy joven. Se fue a estudiar el bachillerato en inglés, hay que amoldarse a los tiempos, el negocio necesita abrirse al mercado extranjero. Siempre fue un poco raro... Parecía una niña de pequeño... En el instituto lo insultaban... Tiene una sensibilidad especial... Se le da muy bien el arte, la música, los idiomas... En Inglaterra aprenderá mucho y se convertirá en un hombre hecho y derecho... ¿Habéis visto qué pinta...? Parece una mujer...

Nekane, su hermana pequeña, su confidente, corrió hacia el coche como si la vida le fuese en ello. Se fundió en un abrazo con Mikel, y sin decir nada, lo llevó hacia la casa, de la mano, dejando a sus padres con las maletas. El caserío, imponente en su tamaño y posición, coronaba el valle y dominaba el campo que se extendía tras él, donde pastaban plácidamente todo tipo de rumiantes, donde el tiempo se había detenido, donde el ritmo lo marcan los astros, no los hombres. *Gurene* se llamaba el caserío desde hacía casi un siglo, *Gurene*, nuestro hogar… *Gurene*, leyó Mikel en la madera tallada sobre la puerta, nuestro hogar. Él lo dudaba.

Nuki, el anciano pastor vasco de la familia, salió ladrando pesadamente, directo hacia Mikel, hacia el niño con el que se había criado, con quien había jugado, a quien había acompañado a todas partes, de quien había escuchado secretos y a quien había consolado durante tantos años. Su amo, su amigo, al que había echado de menos cada día, a quien había esperado tumbado junto al portalón del caserío desde que se marchó, a quien parecía estar esperando para morir, según afirmaba el veterinario. Mikel lo abrazó y el perro volvió a lamer sus lágrimas, aquellas lágrimas que tan bien conocía.

La familia entró en la casa. El amplio salón adornado con elementos rurales se abría a la cocina-comedor por un amplio arco escarzano de sillares amarillentos. Mecánicamente se sentaron a la mesa, cada uno en su sitio, en el mismo lugar en el que se habían sentado durante toda su vida. Era grande, de roble, con bancos corridos largos y robustos; todo lo había hecho el aitona Peio, el abuelo del padre de Mikel, talando árboles de sus tierras, trabajando la madera artesanalmente, incluso labrando relieves geométricos típicos en los bancos y en la mesa, que había reunido a cuatro generaciones de la familia. Habían comido y cenado allí hasta veinte personas en muchas ocasiones, antes de que faltaran los abuelos y cuando venían sus tíos y primos de la ciudad. Una mesa para toda la vida, para todas las vidas. La madre, instintivamente, se puso el delantal, se arremangó y empezó a cubrir el mantel con queso de oveja, chorizo, salchichón, jamón, membrillo, nueces y avellanas, una hogaza de pan que crujía al mirarlo, agua fresca, sidra, vino tinto... Los olores colmaron el comedor. Nuki se acercó meneando la cola esperando las cortezas de queso que tanto le gustaban. El amo no tardó en compartir con su fiel amigo aquellas delicias.

Mikel, Nekane y su madre comían y bebían animadamente, hablando con la boca llena y cortando más pan y queso cuando aún saboreaban un bocado de chorizo o de jamón. Pero su padre comía y bebía despacio, con la mirada hacia sí mismo, sin decir nada. De repente dio un golpe sobre la vieja mesa de roble.

—Mañana a las seis de la mañana empiezas a trabajar, vamos al matadero. Y vístete como una persona, no como...

Todos miraron al padre alejarse presuroso, como tratando de impedir que las palabras salieran de su boca, como queriendo no terminar aquella frase. Nekane miró a su hermano, a los ojos, al gorrito, a la ropa, a las uñas. Nadie dijo nada. Continuaron comiendo los tres solos pero la alegría se extinguió. Solo el perro no perdió el ánimo, y seguía meneando el rabo para pedir su corteza de queso.

Mikel miró hacia la puerta. Su padre se había ido a seguir trabajando. Así lo recordaba, siempre trabajando, invierno y verano, horas y horas, hasta agotar al reloj.

Nekane rompió el hielo y bombardeó a su hermano con preguntas sobre sus dos años en el Reino Unido. De sobra conocía las respuestas pero tenía que conjurar la pesadumbre que se había adueñado de la estancia. Hablaron de Brighton, de los ingleses, de la comida inglesa, de la música inglesa, del tiempo en Inglaterra, del idioma que Mikel dominaba con maestría, del internado, de sus planes, de los estudios que empezaría en enero…

—¿Y cómo está todo por aquí, ama? —preguntó Mikel, sediento de novedades tras dos años fuera y dos horas hablando de su experiencia en Gran Bretaña.

—Pues aquí todo igual, hijo.

Mikel y Nekane salieron a pasear toda la tarde, con Nuki, que no se apartaba de su añorado amigo. El tiempo era cálido aunque ya se había levantado aquella brisa fresca que anunciaba que el verano moría y que las lluvias reinarían de nuevo para verdear el paisaje. Nekane escuchaba las anécdotas de su hermano y ambos reían de forma estentórea provocando que ovejas, vacas, gallinas, perros y gatos se asustaran al romperse el silencio al que estaban acostumbrados. Su paseo los llevó hasta el fondo del valle, y las campas de hierba dieron paso a las casas de piedra, y las personas tomaron el relevo a los animales. Sin embargo, aquellas no se apartaban sino que se acercaban, saludaban y observaban a ese espécimen venido de lontananza, vestido ni de hombre ni de mujer, con formas y gestos desconcertantes y con las uñas de un color entre azul y verde. Un par de cervezas en la taberna y dos horas de exposición ante los lugareños y Mikel se convirtió en el único tema de conversación. Los que habían sido compañeros de clase e incluso amigos le preguntaban qué tal por aquellas tierras y se alejaban con esa mirada punidora que se contagió a todo el pueblo.

La idiosincrasia de las aldeas vino a reforzarse gracias a las tecnologías más modernas, y el virus tardó poco más de una tarde en llegar hasta el último rincón de Goiketxe: el mayor de Gurene… el que se fue a Inglaterra… azul o verde…

De camino a casa un todoterreno frenó a su lado. Nuki ladró a sus ocupantes, cinco jóvenes con aspecto rudo y cansado. Mikel los conocía bien, en el colegio iban un par de cursos por encima de él. Lo insultaban y le pegaban en el patio. En el instituto él acabó por adelantarlos ya que eran pésimos estudiantes. Sin embargo, las burlas y bromas pesadas habían aumentado en proporción al nivel hormonal de aquellos muchachos. «Así que ya has vuelto de hacer las Américas...», dijo uno desde el asiento del copiloto, mirándolo de forma desafiante mientras masticaba una ramita. «De Inglaterra», corrigió Mikel con voz queda. «Da lo mismo. Te han tratado bien, estás más guapa que nunca». La sorna provocó las carcajadas de todo el grupo. Nuki ladró y Nekane estiró del brazo de su hermano para alejarse del todoterreno. Este arrancó y pasó derrapando junto al perro, que asustado se pegó a su dueño. «No hagas caso», le dijo Nekane a Mikel, quien clavaba su mirada en el suelo, otra vez, como antes de marcharse.

Cuando llegaron a casa, su madre se enjugaba las lágrimas. Disimuló culpando a las cebollas y se refugió en los fogones. No hicieron falta palabras. Mikel supo que le habían llegado las habladurías, los comentarios despectivos. Todo volvía a ser como antes.

Su padre no regresó hasta muy tarde. Mikel lo escuchó dar un portazo desde su cuarto. Se había acostado hacía una hora, pero no lograba dormir. Sabía que todo iba a ir mal. Era absurdo negar la evidencia, si algo había aprendido en esos dos últimos años era que él era diferente. No encontraba la etiqueta que le quedara bien. Sin embargo, tenía claro que no quería reprimirse, que iba a expresarse libremente para deshacerse de aquella opresión que lo atenazaba, que no podía aparentar algo que no era, que ya no era un niño.

Al rato, después de que Nuki diera dos vueltas sobre sí mismo hasta encontrar la postura en la curva de las piernas de su amo, Mikel silenció su mente y se dejó llevar por el sueño.

A las seis menos veinte, Mikel apuraba un tazón de leche que su padre había ordeñado esa misma mañana y que su madre había hervido antes de que él bajara a desayunar. Vio a Nekane pasar a caballo frente a la ventana de la cocina y pensó que todo seguía igual, que todos dormían menos que él, que el mundo giraba sin problemas aunque él no estuviese.

Un portazo anunció a su padre. Mikel se levantó tragando los últimos sorbos. Su padre solo gritó «¡Vamos!» sin ni siquiera pasar bajo el arco que dividía el salón de la cocina-comedor. Mikel dio un beso a su madre y corrió tras su padre. Parecía levitar. Sus pasos eran ligeros, ágiles, y su figura grácil recordaba a la de un bailarín de danza. Vestía unos vaqueros elásticos color burdeos que dejaban a la vista sus tobillos huesudos. Zapatillas verdes con cordones azules, una camiseta blanca ajustada y una chaqueta de chándal verde de algún material sintético que le daba un aspecto plástico. Y su gorrito de lana amarillo bajo el cual despuntaban algunos mechones de pelo rojizo, aún húmedo. Cuando montó en el coche, su padre lo miró de arriba a abajo, con el ceño fruncido.

—No pienso cambiarme de ropa.

—Ponte esto por lo menos —y le tiró dos guantes de trabajo que llevaba en el salpicadero.

Mikel bajó la mirada gris, que se posó en sus uñas esmaltadas; era un color precioso, se lo habían regalado sus amigos del internado por su cumpleaños. Sonrió mientras se acariciaba las uñas. «*Blue or green?*». «Depende de cómo te sientas», recordó.

El todoterreno rugió y avanzó lentamente. Llevaba un remolque con dos enormes vacas pardas en él. Varios cientos de kilos de carne ecológica de primera calidad, un dineral, la mina de oro de *Gurene*, su viaje a Brighton, sus cadenas... Llegaron al matadero de la ciudad tras muchos kilómetros y apenas un par de palabras. Mikel sabía lo que tenía que hacer, ya lo había hecho antes. Solía acompañar a su padre un par de veces al mes al matadero antes de irse a Inglaterra. Pesaban las vacas, las examinaban, las mataban y despedazaban, y al final, su padre volvía con unos kilos de carne y un montón de dinero. Mikel evitaba ver el sacrificio, las vacas tienen una mirada demasiado tierna para verlas morir.

Mientras su padre hacía negocios, se puso a limpiar el remolque con una manguera. El agua salpicaba y él daba saltitos tratando de proteger sus zapatillas. «¿Quieres unas katiuskas?». Mikel se giró. Era moreno, de ojos pequeños, negros y risueños. Su sonrisa estaba enmarcada en un rostro masculino, curtido. No muy alto, musculado. «Soy Andoni», y le tendió ambas manos, en una las botas de agua, en la otra, un saludo amable. Mikel cogió las botas, se quitó un guante y estrechó aquella mano que se cerró sobre la suya, más fina, más delicada. «¿Azul o verde?». Mikel se quedó mirándolo, sin articular palabra. «El esmalte, ¿de qué color es?», repitió Andoni. «Depende del día, de cómo te sientas».

Mikel recuperó poco a poco sus movimientos y sus palabras y después de ponerse las katiuskas, acabó de limpiar el remolque con la ayuda de aquel joven de sonrisa perenne y mirada profunda, que ataviado con un mono de agua y un escobón se encaramó al remolque para dejarlo como una patena.

En el tiempo que tardó su padre en volver, tras hora y media larga, hablaron de sus respectivas vidas y proyectos, y además de reír de manera cómplice, habían limpiado todo el almacén, devolviéndole así Mikel el favor a su nuevo amigo. Al ver a su padre surgir de la oscuridad del matadero con una carpeta abultada y una voluminosa bolsa llena de la más jugosa carne de aquellas pobres vacas, se volvió hacia Andoni y le lanzó su número de teléfono mientras se quitaba las botas. Luego una especie de palmadita en el brazo que duró un instante más de lo estrictamente necesario, un gesto tierno y corrió al coche.

De camino a la capital, donde tenían que comprar herramientas, abono, pienso y un taladro, ir al banco y a la universidad, y en definitiva, pasar el día, Mikel sintió un zumbido en su bolsillo: «Ahora ya tienes también mi número. Quiero estar en contacto contigo». Mikel giró su cabeza hacia la ventanilla, ocultándole su sonrisa a su padre, sintiendo algo en el estómago y en el bajo vientre, algo que desde luego no era un nudo.

El día transcurrió con rapidez. Hicieron todas las gestiones de manera eficaz y sin perder el tiempo. Formalizó la matrícula en la Facultad de Bellas Artes tras homologar todos los certificados que traía de Inglaterra, comenzaría en el segundo semestre, así podría trabajar y ahorrar.

Cuando el sol declinaba sobre el mar se pusieron camino a casa. En todo el día había hablado menos con su padre, que estaba a su lado, que con Andoni, quien mediante mensajes siguió haciéndose un hueco en su vida. Su padre solo le hizo una pregunta que concentraba todos los pensamientos que lo atenazaban desde que vio a su hijo bajarse del avión:

—¿Por qué te pintas las uñas?

Mikel balbuceó, tartamudeó y finalmente consiguió decir que entendía que fuera chocante, que en Inglaterra muchos chicos se visten así, que sentía la necesidad de expresarse.

—¿Eres… jay… o jey… o como se diga? ¿Eres maricón?

Mikel no dijo nada durante un minuto. Luego levantó la vista, primero a la carretera, luego a su padre.

—En realidad no sé lo qué soy, aita.

Su aita, aquel que le enseñó a montar a caballo, aquel que había sido su héroe durante la mayor parte de su vida, no dijo nada más. No miró a su hijo, y Mikel volvió a bajar la mirada. Notó otro zumbido y un cosquilleo en su interior. Andoni, sin duda. Cuando sucumbió a la tentación de ver el contenido del mensaje, sintió un volantazo. Su padre había dejado la carretera que llevaba a Goiketxe y se adentraba en otra dirección. Mikel recordaba aquel sendero vagamente, de pequeño su padre lo había llevado por allí, y una idea se fue fraguando en su mente al tiempo que el miedo se empadronaba de él. Una luminosidad rosa en medio de la oscuridad de la noche, cerrada ya, le sacudió en la cara. Su padre frenó el coche y salió dando un portazo. Mikel no se movió. «Vamos, baja». Obedeció. Ante él vio el cartel de neón: CLUB PARADISE. GIRLS-NESKAK.

Su padre sacó de su bolsillo un fajo de billetes, contó con

el pulgar y le dio una cantidad insultante. Podría acostarse con todas las chicas del Paradise y aún le sobraría la mitad. Antes de arrancar, bajó la ventanilla y le dijo que volviese en taxi.

Mikel se quedó solo, envuelto en la nube de polvo que había levantado el coche. Parecía surgir de un resplandor rosa como una Venus posmoderna. Se giró hacia el club. Vio salir a un hombre que se ajustaba el pantalón mientras caminaba hacia el aparcamiento. Se volvió otra vez. Sacó el móvil del bolsillo. Tenía un mensaje sin leer. «Es buena idea, a mí también me gustaría...».

El piso de Andoni era pequeño. Los italianos dirían que era un *bilocale*. Dos espacios: sala-cocina y dormitorio con un baño. Buenas vistas, eso sí. Dos amplios ventanales asomados al mar Cantábrico presidían la vivienda, toda ella orientada al noroeste. Como si fuera una Cenicienta que ha dado la vuelta al cuento, Mikel llegó a medianoche. El taxista lo miraba por el espejo retrovisor de vez en cuando, y él no apartaba la vista de la pantalla del teléfono, desde la cual ese príncipe encantador le había mandado sus coordenadas para ser rescatado del club de carretera. «Gracias por dejarme venir. No puedo volver a mi casa esta noche...». Andoni vestía un pantalón de chándal gris, una camiseta blanca y chancletas. Sus brazos eran fuertes, con vello negro hasta los codos. Su sonrisa sempiterna, blanca y honesta le indicó a Mikel que se sentara. «¿Un té, café?». Charlaron durante horas frente al ventanal, con el rumor del oleaje de fondo. Cuando las palabras se agotaron llegaron los besos precedidos de miradas llenas de deseo. La ropa durmió en el salón, y ellos no durmieron casi pese a pasar la noche en la cama. El cielo clareó y los descubrió abrazados, Andoni aferrando el delgado cuerpo de Mikel, rodeando con piernas y brazos morenos la piel pálida, susurrando palabras de cariño a los oídos agradecidos, mirando con sus negros ojos los ojos cristalinos que suplicaban socorro.

Se ducharon juntos bajo una lluvia cálida, se amaron de nuevo al volver a la habitación, les dolían los labios de tanto besarse y llevaban la sonrisa en la mirada, en la boca, en cada poro. Andoni trabajaba en el matadero y llevó a Mikel hasta allí. Un taxi hizo el resto del recorrido hasta Goiketxe. Si llegar en su propio coche había atraído a los lugareños a la calle, aparecer en taxi a las nueve de la mañana podría haber provocado un pleno municipal. Unos minutos después ya se debatía el de dónde, el con quién, el por qué, el quién o quiénes, el cuándo y hasta el cuánto.

Los días pasaban con el ritmo inexorable de los trabajos del campo. Se madrugaba más que el sol para alimentar al ganado, para limpiar los gallineros, para guiar a las ovejas, para construir los almiares para el invierno. El trabajo era monótono, mecánico, duro y silencioso. Mikel, su padre y su hermana pasaban medio día juntos y apenas intercambiaban palabras más allá de las necesarias para garantizar la eficacia de su labor. Se cruzaban a menudo con vecinos, ganaderos como ellos, que nunca ahorraban miradas de desaprobación hacia aquel joven de aspecto singular. Incluso mascullaban palabras sin ningún disimulo. Era peor cuando se cruzaban con el todoterreno de los muchachos. Si su padre no andaba cerca, Mikel tenía que escuchar insultos, comentarios despectivos y burlas cada vez más hirientes. Se alejaba a galope sintiendo que un remolino se lo tragaba y que aquella fuerza centrípeta arrastraba con más ímpetu su alma que su cuerpo, poco a poco desdibujado bajo ropas más adecuadas al sentir general. Pero no dejó de pintarse las uñas, no dejó que aquel color azul o verde desapareciera, ocultándolo, eso sí, con los guantes de trabajo, pero sabiendo que estaba allí, que seguía diciéndole a todo el mundo y a él mismo que bajo la losa de miedo, de opresión, seguía allí. Soñaba con huir, con hacer una vida ajena a las normas, a las costumbres, a las opiniones de los demás. Pronto, se decía, pronto. A veces, sin embargo, no veía salida.

A última hora de la tarde, tras la jornada, empero, brillaba el sol para él. Salía del caserío cabalgando y se encontraba con Andoni en un cruce de caminos. Dejaba al equino amarrado a un árbol y se sumergía en brazos de aquel hombre de cálida sonrisa. Pasaban horas en el coche de Andoni si llovía, o paseando por el bosque. Se miraban, se abrazaban, se besaban. Mikel le contaba el maltrato que sufría a diario, los insultos, las burlas. Andoni le insuflaba ánimos, fuerzas, esperanza. Los sábados por la noche iban a la ciudad, y más allá de las vistas al mar desde los ventanales del piso, solo se veían el uno al otro.

Un domingo, a primera hora, Andoni dejó a Mikel en el cruce de caminos donde esperaba su caballo, que relinchó al ver a su amo. Se besaron y se dijeron «hasta mañana» mientras sus manos seguían entrelazadas.

Mikel cabalgó feliz hacia *Gurene*, risueño por vez primera en muchos días. Y sin embargo en aquel caserón le deparaba otra sorpresa.

Sus padres tomaban café con Montxo, el otro gran

prohombre de Goiketxe, propietario de lo que no les pertenecía a ellos y padre de una dulce jovencita que miraba desde sus ojos verdes la habitación sin atreverse a decir ni mu.

—Estamos arreglando lo vuestro —le dijo su padre a Mikel sin darle tiempo ni a saludar.

—Vuestros hijos heredarán Goiketxe entero —añadió Montxo con su vozarrón sacudiendo sus gordas mejillas coloradas. Una risotada y un nuevo brindis sellaron el pacto ante los atónitos ojos de los involuntarios protagonistas.

Mikel se disculpó y subió a su cuarto. Daba pasos rápidos de un lado a otro, como un león enjaulado que lleva días sin comer. Hacía una hora creía haber vislumbrado un futuro. Miró por la ventana. Las vacas pastaban, las ovejas se movían en bloque, el sol y las nubes pintaban de luz y sombra la montaña. Nuki ladró al otro lado de la puerta. Mikel lo dejó pasar y se abrazó al chucho. De nuevo el viejo amigo lamió sus lágrimas. Parecía que las paredes se cerniesen sobre él, que su mundo cada vez fuese aún más pequeño, que no hubiera escapatoria, que le faltara el aire.

Se cambió de ropa, se vistió como le gustaba, repasó sus uñas, salió de su cuarto y se escabulló por una puerta trasera. Fue al establo y montó su caballo. Unos minutos después el caserío era una piedra en el horizonte, Goiketxe ni se veía, oculta abajo, en el valle, y las ovejas y las vacas eran manchas pardas y blancuzcas en medio de un océano verde. El viento azotaba, las nubes copaban el cielo, el otoño reclamaba su reino. Respiraba a bocanadas, sediento de libertad, ahogado. Cabalgó algo más y llegó hasta una pista rural. Escuchó el motor de un coche acercándose, deseó que fuese Andoni que había sentido su dolor, su desesperación. Cuando distinguió el vehículo era demasiado tarde. Frenó a su lado. Eran los muchachos del pueblo, volviendo de pasar la noche de fiesta. El olor a alcohol era intenso, sus ojos enrojecidos, sus risas nerviosas. Mikel inspiró profundamente, vencido, derrotado, colmado por la resignación. No hizo amago de escapar, podría haber espoleado a su caballo, pero no se movió, se sentía como las reses que había llevado al matadero, y pensó que quizá ese era su destino.

Los chicos lo miraban. «¡Guapa!», espetó uno de ellos provocando la risa de los demás. Mikel no respondió. Un brazo salió por la ventanilla y agarró con fuerza las riendas. Después todo sucedió rápidamente. Lo derribaron del caballo, lo zarandearon, lo golpearon, mientras sus risotadas se confundían con los insultos. Le quitaron el gorro de lana y se lo puso el que hacía de líder. Le desgarraron la chaqueta. Entonces uno lo inmovilizó por la espalda y otro le cogió una mano. «Bonitas uñas, ¿qué color es? ¿Azul o verde?».

Sintió que perdía el equilibrio y se vio en el suelo boca abajo. Le quitaron la camiseta. Mikel no decía nada, no gritaba, no luchaba, había aceptado el sacrificio, se había rendido al mundo, a ese mundo pequeño, cerrado, ciego. Sin embargo algo de vida quedaba en él porque la resignación fue sustituida de repente por el miedo, por el pánico que sintió cuando notó que le arrancaban los pantalones. «¿Qué cojones eres tú? ¿Un hombre o una mujer?». Lo voltearon, la tierra estaba húmeda y sintió un escalofrío en la espalda. Uno de ellos le aferraba los brazos y otro las piernas. Comenzó a luchar, quería zafarse, pero sus esfuerzos eran inútiles, era como si Prometeo quisiera desembarazarse de sus cadenas.

«¡Pero si tiene colita!», chilló uno. «Si no fuera por eso parecería una mujer. Mirad esa piel, sus formas…», apuntó otro. Todos lo observaron durante unos instantes, comparándose mentalmente con la anatomía de aquel que yacía inmovilizado a sus pies. «¿Quieres que te la cortemos y te hagamos mujer?», preguntó el que llevaba su gorro, arrodillándose junto a Mikel, empuñando un cuchillo para castrar que se reflejó en sus ojos, aterrorizados ante la idea de perder algo que apreciaba, que deseaba conservar aunque al mismo tiempo pensase que quizá esa sería la solución. La visión se le nubló de repente por las lágrimas. El cielo también empezó a llorar. El cuchillo acarició su pecho, su vientre, su pubis. Mikel cerró los ojos, apretó los dientes, sintió la hoja recorrer su pene, su muslo… «Vámonos, tíos, que empieza a jarrear», dijo el del gorro y el cuchillo, separando el metal de la carne. Algunos protestaron pero el líder se impuso con un par de alaridos. Se marchaban y punto. Entonces los muchachos lo liberaron y montaron en el coche, escapando de allí a toda prisa, no sin añadir por la ventanilla: «¡Ya nos veremos, preciosa!».

Mikel estaba sobre la hierba, no había movido ni un músculo desde que lo soltaron. Era como si sus brazos y piernas siguieran oprimidos bajo invisibles ligaduras. Lloraba y miraba al cielo. Sus pantalones y calzoncillos a la altura de los tobillos, su chaqueta y su camiseta a varios metros de él. El caballo pastando indiferente. Mikel cerró los ojos, la negrura lo envolvió, el agua chorreaba por su piel blanca y deseó fundirse con ella, disolverse en la lluvia y deshacerse en la tierra para alimentar a la hierba, que alimentaba a las vacas, que alimentaban a los hombres y a las mujeres… Y así poder formar parte de todo, de ellos, de los hombres y de las mujeres. Ser uno y ser todo. Ser todo y ser nada.

Andoni recibió a mediodía un mensaje extraño, hermético; solo decía una palabra: «Agur».

Desde que conocía a Mikel siempre había tenido aquella preocupación, aquella alarma que le hacía temer por aquel ángel del que se había enamorado. Rápidamente abrió una aplicación en su móvil y un par de satélites, tres servidores, seis antenas y dos teléfonos trabajaron en equipo para indicarle la localización del teléfono de Mikel. El mapa resultante señalaba un lugar en el monte, junto a una pista que conocía y que conectaba diversos caseríos, bordas y refugios. Llegó allí en menos de una hora. Seguía lloviendo, hecho que no molestaba a los rebaños de ovejas. Solo las vacas parecían reaccionar, arremolinándose alrededor de los pocos árboles que salpicaban el monte. Aunque las hojas, pardas ya, cedían al ímpetu del viento y se dejaban arrastrar, volando lejos y dejando a robles, hayas y castaños desnudos bajo la lluvia.

El geolocalizador apuntaba hacia la pradera. Andoni miró en derredor. Bajó del coche y caminó apresuradamente, buscando ansioso en todas direcciones. La quietud lo inundaba todo, las cortinas de lluvia descendían a tierra en diagonal, el viento soplaba del noreste, el frío le hizo temblar. «¡Mikel!», llamó con urgencia. Marcó su número y sonó bajo sus pies. Andoni recogió el móvil y miró a su alrededor. Corrió hacia una colina desde donde otear un área mayor. Algo llamó su atención. Un relincho, a la izquierda. Corrió en aquella dirección y vislumbró un hermoso caballo marrón. Lo reconoció. Lo había visto cada día. Había algo raro, tenía silla pero no riendas. El corazón se le encogió de repente.

Echó a correr. La lluvia ya lo había empapado hasta los huesos. Entonces vio una construcción. A unos cien metros se alzaba un viejo y desvencijado refugio de montaña, cuatro paredes y un tejado a dos aguas. Una puerta, una ventana y una chimenea. Gritó su nombre de nuevo, temía lo peor: aquellos miedos, aquella angustia, aquella necesidad de fuga absoluta, aquella paz anhelada y escurridiza, aquella despedida.

Abrió la puerta y se le heló la sangre. Una mesa en medio de la habitación, un silla tumbada, una viga de madera y, al fondo, junto a la chimenea yerma, en un rincón, acurrucado en el suelo y aterido de frío, Mikel. Estaba medio desnudo. Solo se cubría con una chaqueta y tenía los pantalones rotos, sujetos a la cintura con las riendas del caballo.

Andoni lo abrazó y sintió el cuerpecito frío y tembloroso, que pareció calmarse con su contacto. Estuvieron en silencio un rato. Luego le hizo un par de preguntas para completar el puzle. Lo abrazó con más fuerza mientras Mikel le contaba lo de su padre, lo del matrimonio concertado, lo de los muchachos del pueblo, lo de ser todo y ser nada…

—No veo salida…

Andoni se aferró a él, temiendo dañarlo, pero temiendo más aún perderlo… Empezó a besarle la frente, los ojos, las mejillas, los labios, el cuello, el pelo; le quitó la ropa húmeda y besó su cuerpo. Lo amó y acarició, y con cada beso le decía palabras de consuelo, con cada caricia lo enredaba a la vida, lo amarraba a la esperanza. «Solo dime cómo prefieres que te llame, que te trate, que te mire. Solo quiero que estés bien, tú, tal como eres, sin etiquetas, sin preguntas. Vivirás conmigo, ¿me oyes? Viviremos juntos, estudiarás y yo te cuidaré y tú me alegrarás cada día».

Y Mikel dejó de llorar y la sonrisa, al principio tímida, volvió a su rostro, y sus ojos grises reflejaron la sonrisa de Andoni, y volvieron a abrazarse, a besarse, a amarse desnudos bajo un frágil tejado que los protegía de la lluvia que arreciaba fuera, donde el caballo pastaba indiferente, donde las ovejas se desplazaban como una masa blancuzca, donde los almiares se erguían y las vacas buscaban refugio bajo los castaños, robles o hayas que desperdigados aquí y allá señoreaban las praderas verdes de los montes vascos. Donde las gentes en sus casas hablaban de aquel joven de formas delicadas, tan distinto a los demás, que parecía un chico y una chica, que les producía curiosidad, rechazo, miedo, y a algunos, morbo, que llevaba las uñas pintadas de un color hermoso, pero que no estaba claro si era azul o verde.

Nació en Sanlúcar de Barrameda (Cádiz) en 1948. Su primera novela, *Tatuaje*, abiertamente homosexual, ganó en 1973 el prestigioso Premio Sésamo, pero la censura prohibió su publicación. Decidió no volver a escribir hasta que no pudiera hacerlo en libertad. Ya en una España democrática ha publicado 13 novelas y dos libros de narraciones, entre ellos *Una mala noche la tiene cualquiera* (1982), *El palomo cojo* (1991, finalista del Premio Nacional

Eduardo Mendicutti

de Narrativa), *Los novios búlgaros* (1993), *El ángel descuidado* (2002, Premio Andalucía de la crítica), *California* (2005), *Ganas de hablar* (2008) y *Otra vida para vivirla contigo* (2013). Está traducido al inglés, francés, italiano, holandés, portugués, turco, griego y polaco. En 2012 se le concedió el Premio Nino Gennaro en Palermo en reconocimiento a su obra y su compromiso con el colectivo LGTB.

Canela y oro

Entonces lo hacíamos así, en la calle. Le echabas el ojo, le aguantabas unos segundos la mirada, no mucho, por si se reviraba y te llevabas un revolcón de oreja y rabo, caminabas unos pasos gustándote, te volvías, comprobabas si él también se había vuelto, tal vez adivinabas que estaba a punto de volverse, y si efectivamente lo hacía le dejabas caer una sonrisa quedona, pero sin exagerar, y luego te parabas, firme, con los pies bien clavados en el suelo, frente al escaparate más cercano, aunque fuese de lencería femenina o de disfraces para fiestas infantiles, que entonces había una tienda muy nombrada de disfraces en una de las bocacalles de la Gran Vía, la del cine Avenida, o la del Palacio de la Música. Él podía dudar un momento, desconfiado, y a lo mejor se daba media vuelta y te dejaba caliente y mojadito, así que lo que había que hacer era buscarle la cara por derecho y entrar a matar: te mecías un poquito de cintura, te abarcabas un segundo la portañuela con una sola mano, le mirabas ya descaradamente a través del cristal del escaparate, te humedecías los labios con un racheado tranquilo de lengua, y ya solo tenías que esperar a que él se arrancase.

—Hola —dijo. Tenía una voz oscura, como apretujada, como si se la estuvieran pinchando con algo.

—Hola —dije yo, sobrado, mandando—. ¿Tienes sitio?

Eso era lo primero que preguntábamos entonces: «¿Tienes sitio?».

—Sí —dijo él, guasón—. La plaza de toros de Las Ventas.

—¿Cómo?

Se rio más con el estómago que con la garganta, en sordina, y con esa parsimonia con la que se ríen quienes están seguros de controlar el momento.

—Bueno, sí, la plaza de toros de Las Ventas también, pero estoy en un hotel aquí al lado. ¿Vienes?

Echó a andar sin tomarse el trabajo de gustarse un poco con más faena de capote y le seguí. Enseguida me puse a su altura para caminar a su lado. Era una cuarta más alto que yo y la verdad es que no tenía andares de torero, pero se movía bien, con pisadas contundentes, sobre unos muslos llenos y fuertes y un culo rotundo que estaba pidiendo a gritos salirse del pantalón. Sonreía. El fulano sonreía, no el culo. Bueno, el culo también. El tipo tenía un perfil y una sonrisa de actor latino de los mejores años de Hollywood. Y sin embargo, de pronto, mientras le observaba por el rabillo del ojo, me dio por pensar que se parecía a Stephen Boyd. Sentí un pellizco en el estómago, y luego un pellizco en la punta del estoque, y por fin un pellizco en el corazón. De repente estaba claro que él controlaba la situación y que yo era ya un manojo de nervios. ¿Dónde estaba mi bravura de hacía cinco minutos? El cabestro me había llevado a su terreno en un santiamén con mucho temple y mucho poderío y yo estaba entrando a la muleta con una nobleza digna de la mejor ganadería, y ahora, sin venir a cuento, me acordaba de Stephen Boyd, que no tenía nada de latino ni de torero, pero que habría sido el hombre de mi vida de haber tenido la ocasión de hacerle una tienta cuando él rodó *Ben Hur* con Charlton Heston. A todos los chicos de mi peña taurina les gustaba más Heston, con aquella jeta cuadrada y aquellos hombros como aeropuertos, pero yo perdía el temple por el otro, por el que hacía de Mesala, el malo de la película, que era clarito y de boca rellena y tenía los ojos verdes. Aquel hombre que me llevaba como un cabestro a un hotel de la Gran Vía también tenía los ojos de color uva.

—Aquí es —dijo, pero aún caminó unos pasos hasta pararse frente a un portal enorme y oscuro y de paredes amarillentas y descascarilladas en el que se anunciaban dos hostales, uno de más categoría que el otro, y una academia de idiomas. Yo pensé: «Este no pasa de banderillero». Pero como no había ascensor, subió las escaleras medio mugrientas delante de mí y yo no podía apartar los ojos de aquel culo que me sonreía cada vez más, de aquellos muslos que amenazaban con rajar en cualquier momento los perniles del pantalón, de aquellos andares que eran como las carreras de cuadrigas de *Ben Hur* —o por lo menos a mí me causaban el mismo efecto— y ya me daba lo mismo que aquel pedazo de hombre fuera el que abría la puerta de los toriles de la plaza de Las Ventas o El Asombro de Triana.

Llegamos al primer descansillo. El primero derecha era la academia de idiomas, y el primero izquierda, el hostal de más categoría, lo que no dejaba de ser tranquilizador para mi amor propio. Entonces él se volvió y me dijo:

—Me llamo Jenaro.

Entonces no caí en la cuenta de que seguramente no ha habido ni habrá jamás en el mundo ningún torero que se llame Jenaro, pero saber su nombre me dio confianza y aplomo, aunque la verdad es que yo le mentí, porque le dije que me llamaba Ramón, y él también podría haberme mentido.

—Pasa —dijo, y solo después de decirlo sacó una llave del bolsillo del pantalón y se tomó su tiempo para abrir la puerta, supongo que porque yo aproveché para embraguetarme un poco, que ya se sabe que el roce lleva al cariño, y estaba claro que a él se le antojó lo que le arrimé digno de prolongar el lance. Lo que le arrimé ya estaba exigiendo la vuelta al ruedo, la verdad.

La entrada del hostal de más categoría me pareció la entrada de un hostal de categoría pésima, pero tampoco es que yo estuviera habituado a torear siempre en plazas de primera. Hasta entonces, había toreado una vez en el Ritz y dos veces en el Palace. En el Ritz, con un mexicano bigotudo que enseguida quiso llevarme a su rancho de Cuernavaca, plan que se me antojó de lo menos apetecible pese a que el mexicano manejaba el descabello como pocos y me enseñó fotos en las que se le veía controlando un ganado de reses bravas a caballo, como en las películas del Oeste. En el Palace toreé la primera vez con un bailarín finlandés al que había tomado por lanzador de jabalina, porque en aquel tiempo todos los campeones de lanzamiento de jabalina eran finlandeses y todos estaban buenísimos, y que enseguida me propuso que me fuera con él de gira por toda Latinoamérica, lo que me pareció muy cansado; la segunda vez, con un futbolista del Zaragoza que tenía fama, por lo que decían los de mi peña taurina, de ser el terror de todos los botones de los hoteles de cinco estrellas en los que se alojaba en su tiempo libre, y ya debía de haber despachado a todo el cuerpo de botones del hotel porque se fijó en mí como un verdadero depredador del área nada más verme en los alrededores del Museo del Prado, una zona, por aquel entonces, de mucha tauromaquia para turistas. El futbolista no me propuso nada, aunque, ahora que lo pienso, no me habría importado lo más mínimo convertirme en su masajista particular a tiempo completo, o irnos juntos a cuidar pingüinos al Polo Norte, o incluso a torear a alguno al alimón cuando el tiquitaca entre el futbolista y yo empezara a desgastarse.

La entrada del hostal de más categoría era tristísima, con las paredes enteladas con pretensiones de gabinete imperial del año de la polca, un sofá comprado sin duda en alguna almoneda costrosa del Rastro y un mostrador de segunda o tercera mano que en aquel momento estaba desatendido.

—Por aquí —me ordenó Jenaro, y yo le obedecí sin rechistar.

El pasillo era tan agobiante y destemplado como el que hay en cualquier plaza de toros entre los chiqueros y los toriles, pero tenía dos ventanas entreabiertas que daban a un pringoso patio interior. Por ellas se colaba la música de la radio y en aquel momento sonaba eso de *torito bravo, ay, no me mires de esa manera.* Yo me hice a la idea de que me lo estaba cantando el culo de Jenaro, así que no me entró ninguna depresión precoito.

—Un momento —dijo él frente a la puerta de la habitación número seis. Luego, golpeó tres veces la puerta con los nudillos.

—¿Es que hay alguien ahí dentro? —se me escapó, y enseguida comprendí que un diestro que tenga lo que hay que tener nunca puede hacer esa pregunta, y mucho menos en el tono en el que yo la hice. Alguien, desde dentro de la habitación, quitó el pestillo de la puerta.

—¿Jindama? —me preguntó Jenaro en voz muy baja pero con más guasita de la que una figura del toreo de calle como yo debería consentir.

—Ninguna —le aseguré, y me quedé muy a gusto con la firmeza y el temple de mi contestación. Además, aproveché para embraguetarme otro poco y que él se diera cuenta de que no se me había bajado ni un centímetro la vocación.

—Entonces, adelante —dijo Jenaro. Y abrió la puerta.

Yo entré receloso, como los toros que de verdad llevan peligro, con todo de punta, con ganas de enganchar cualquier cosa que se me pusiera por delante. Solo que una sorpresa como la que me esperaba no la aguanta sin trastabillar ni el miura con más cuajo. La habitación era enorme y estaba en penumbra. Debía de dar a la calle, porque era la hora de la siesta y los filos de luz que se colaban por las rendijas de las contraventanas eran brillantes y afilados. Sobre una de las camas, sobre las sillas, sobre un butacón tapizado de cretona, sobre un sofá de dos plazas con un armazón de madera que quitaba las ganas de sentarse, colgados de percheros de pie o de percheros de pared, había trajes de luces de todos los colores: granate, azabache, todos los tonos del verde, celeste, violeta, rosa, azul marino, con muchos bordados y filigranas en plata y oro. También había capotes, muletas, estoques, monteras. Aquello parecía la sección taurina de la tienda de disfraces que había en una bocacalle de la Gran Vía y cuyos escaparates daban mucho juego para el tercio de capote.

—Ponte cómodo —dijo Jenaro.

—¿Dónde?

Él me tocó el hombro y aclaró:

—Quiero decir que te vayas desnudando.

Me parece que desnudarse de torero es mucho más fuerte que vestirse de torero, y no sé si me explico. Yo solo era un estudiante que, en mis horas libres, me desnudaba todo lo que podía para pasármelo bien, pero desnudarme de torero se parecía mucho a jugarme la vida como un joven astado de color vainilla y hambriento de gloria.

Por eso, me quité la cazadora y fue como si me quitara la partida del bautismo. Me quité la camisa y fue como si me quitara la primera comunión. Me quité los zapatos y los calcetines y fue como si me quitara la confirmación. Me quité los pantalones, intentando no perder la compostura, y fue como si me quitara todas las confesiones, todas las absoluciones y todas las penitencias de mi vida. Me quité, de un tirón, los calzoncillos y fue como si me quitara la partida de nacimiento. No me quedé como vine al mundo, no me quedé como Adán y Eva antes de ser expulsados del paraíso, me quedé como un toro de lidia recién nacido, el más noble de los animales que hay sobre la tierra, cuyo inmejorable destino es morir mortificado y acuchillado y ensangrentado a las cinco en punto de la tarde, como dicen los poetas engominados y los gordinflones y gelatinosos cronistas de la milenaria escabechina en que consiste la milenaria vileza del toreo (pordiós, parezco Fernando Vallejo, el glorioso escritor colombiano para quien una mujer embarazada es mucho peor que un talibán terrorista —entre otras razones, porque siempre cabe la posibilidad de que esté embarazada de un futuro torero—, y un torturador de cualquier animal —salvo los camarones, que carecen de sistema nervioso y, por tanto, no sufren—, mucho peor que Hitler).

—Qué blanquito —observó Jerano.

—Es que soy rubio —me justifiqué yo, repentinamente inseguro, y noté que me ruborizaba.

—No te achares, picha —dijo él, cariñoso—. Estás muy rico.

Pero no me tocó. No me puso un dedo encima. Estuvo un buen rato mirándome de la cabeza a los pies, y la verdad es que tanto miramiento me sirvió para recuperar un poco la casta, porque, con el estriptís y la inseguridad, la bravura se me había quedado morcillona. Y eso que de pronto me di cuenta de que Jenaro no me miraba con «pecaminosa delectación», como decía el hermano Gerardo cuando en el colegio hacíamos ejercicios más o menos espirituales, o al menos no quería que yo le notase la delectación pecaminosa, porque sentirla seguro que la sentía. Me miraba como seguramente mira un apoderado los ejemplares que le han tocado a su pupilo en el sorteo de la corrida. Luego se dio la vuelta con bastante empaque, se dirigió a una puerta de color blanco roto, como se dice ahora, que sin duda era la puerta del cuarto de baño de la habitación, y volvió a avisar tres veces golpeando el blanco roto con los nudillos. Se retiró unos pasos hacia su izquierda y la puerta del baño, muy despacio, se abrió.

La luz estaba encendida y en la puerta se recortó la figura canela y oro, ceñida, esquemática, pinturera, muy torera, de un muchacho a todas luces demasiado joven para mis gustos de entonces. Pensé que, por culpa de la penumbra de la habitación, quizás él no me viese con la misma nitidez con la que le veía yo.

Jenaro, entonces, anunció con taurina solemnidad:

—¡El Asombro de Barbate!

Ya digo, yo ya había decidido que a El Asombro de Barbate le faltaba, para mi gusto, un hervor y le sobraba pinturería, así que mi bravura empezó a resentirse de nuevo a un ritmo alarmante. Y eso que El Asombro de Barbate se fue acercando a mí con un garbo muy cabal, gustándose mucho, recreándose en la suerte del encele, cimbreando las caderas, sacando el bulto, ofreciéndose, deleitándose. Valiente mariconada, pensé yo. De modo que a mi bravura le faltaban cinco minutos para quedar definitivamente engurruñida, pero El Asombro de Barbate siguió con su ballet torero, con su danza telúrica de la seducción, con su desafío ondulante y desprotegido, y se adentraba ya en un territorio temerario, a una cuarta de mí, a un palmo de mi embestida, y me fue rodeando con mucha parsimonia y mucho riesgo, con mucho quiebro de cintura, con mucha ebullición de pelvis, con mucha gracia de bailarina balinesa, con mucha gracilidad flotante de *geisha* agitanada, con candencia de hetaira egipcia, con la tentadora suavidad coreográfica de una virgen ofreciéndose a los dioses. Qué mujer, me dije.

—Maestro —dijo Jenaro, y cualquiera diría que tenía delante al mismísimo Cristo de los Faroles—: ¡Son las cinco en punto de la tarde!

El Asombro de Barbate dio un estirón, sacó pechera, se dio la vuelta con mucho garbo y mucha torería, puso el culo como sandía en bandeja, giró la cabeza para mirarme a los ojos pese a la incomodidad de la postura, y me retó:

—¡Je, toro! ¡Embiste!

Yo me quedé empantanado durante unos segundos.

—Embiste, coño —me dijo Jenaro con bastante consideración, y me guiñó un ojo.

El guiño de Jenaro me puso de pronto como una barbacoa, porque lo tomé como una promesa de que en cualquier momento podría contar con él, y embestí.

El Asombro de Barbate sabía moverse. Yo sabía moverme. Él intentó dibujar una verónica de quitar el sentío y yo le enganché por los sobacos. Olía a Agua Brava. La chaquetilla del traje de luces salió volando como una cigüeña endomingada. El Asombro de Barbate era estrecho de pecho, estrecho de hombros, estrecho de cintura, pero tenía los brazos fuertes y todo eso lo movía y lo restregaba y lo agitaba y lo subía y lo bajaba con un frenesí que no habría manera de meterle el cuerno hasta el píloro por falta de puntería. Además, el cuerno se me estaba quedando en nada por culpa de tanta agitación. El Asombro de Barbate se desabotonó él solito la camisa emborrachada de almidón y atiborrada de tiras bordás y la camisa voló como una tórtola alborotada. El Asombro de Barbate llevaba tan ceñido el calzón del traje de luces que no había manera de arrancárselo a tirones. Y mira que yo lo intentaba. Porque el culo de El Asombro de Barbate gritaba: «¡Líbérame!». Jenaro me susurró al oído: «Ten cuidado, que el traje cuesta una fortuna». Yo aproveché para agarrar a Jenaro por el cuello y para dejarle aquella boca igualita a la de Stephen Boyd pegada a mi oreja, y enseguida me di cuenta de que por nada del mundo quería que le soltase. El Asombro de Barbate se puso a balancear aquel culo de odalisca calenturienta y, pese a que el diestro barbateño no era mi tipo, la bravura se me volvió a animar poquito a poco, seguramente porque Jenaro me metía ya la lengua hasta los tímpanos, primero por una oreja y después por la otra. Solté el cuello de Jenaro porque ya no había peligro de que se escapase. El Asombro de Barbate hizo entonces un volapié de postal, qué arte, y se me plantó de frente y empezó a cuadrarme de la cabeza a los pies. Con lo que a mí me excita que me mordisqueen las tetillas. Con lo que a mí me excita que me recorran el estómago de arriba abajo con una lengua calentita y mojadita. Con lo que a mí me excita que se metan en la boca mis sonajeros, primero uno y después el otro. Con lo que a mí me incendia que se traguen mi bravura, antes de la corrida, durante la corrida, y después de la corrida. Ese era el trabajo de El Asombro de Barbate. Con lo que a mí me achicharra que me babeen toda la espalda, desde las cervicales al coxis, y desde el frunce de un sobaco al frunce del otro. Con lo que a mí me desata que se vayan abriendo paso con la lengua por el canalillo del pozo de atrás. Con lo que a mí me dispara que se pongan a asfixiarse en la boca misma del pozo. Ese era el trabajo de Jenaro. Luego, con un solo muletazo de mucha categoría, me dieron la vuelta, y el trabajo que estaba haciendo uno empezó a hacerlo el otro, y viceversa. Y entré con aquellos prolegómenos bucales en tal clase de frenesí que, cuando vine a darme cuenta, los tres estábamos revueltos en la cama, y me percaté de que la piel de El Asombro de Barbate era de color canela y estaba cuajadita de oro de tantas medallas y tantas cadenas como le colgaban al chiquillo del cuello, y también de que el maestro acostumbraba a tomar el sol en cueros vivos, porque el color canela era homogéneo desde la frente a los empeines. También el color canela de la piel de Jenaro. Y eso que a Jenaro lo veía peor, porque enseguida se hizo cargo de mi retaguardia mientras el culo de El Asombro de Barbate se ocupaba de mi vanguardia, y El Asombro de Barbate se puso a tararearse un pasodoble a sí mismo, y Jenaro volvía a llenarme los tímpanos de lengua salvaje, de saliva tibia y de palabras guarras, y los tres salimos a la par por la puerta grande, y aquello sí que fue digno de que lo sacaran en el noticiario, y desde entonces me muero por merendar sángüiches de cualquier cosa, pero con mucha canela, e incluso sin canela.

Cuando estuvimos ya para el arrastre, los tres tumbados boca arriba, El Asombro de Barbate se incorporó, pasó todo el cuerpo canela y oro por encima de mí, y besó en la boca, con mucho gusto y regusto, a Jenaro.

—Gracias, hermano —le dijo.

—Gracias a ti, maestro —le dijo Jenaro.

Yo me sentí en la obligación de estar a la altura de las circunstancias.

—Gracias, maestro —le dije a El Asombro de Barbate—. Gracias, hermano —le dije a Jenaro.

Jenaro se echó a reír.

—Somos hermanos de verdad —susurró, con aquella sonrisilla igualita a la de Stephen Boyd en *Ben Hur*, con aquella voz oscura, como apretujada, como si la estuvieran pinchando con algo.

Di un respingo:

—¡¿Cómo?!

—Hermanos de padre y madre —apuntaló Jenaro.

A modo de demostración, Jenaro se incorporó, pasó todo su cuerpo por encima de mí, y besó a El Asombro de Barbate, fraternalmente, en la mejilla. Luego, se puso a comerme la boca hasta dejármela como una breva en agosto.

—¿Qué hora es, hermano? —preguntó El Asombro de Barbate.

Jenaro hizo un alto en la comilona y dijo:

—Maestro, siguen siendo las cinco en punto de la tarde.

Durante tres temporadas, dos en España y una en América, fui parte de la cuadrilla de El Asombro de Barbate. Cuando llegábamos a la ciudad en la que tenía corrida, Jenaro y yo salíamos, juntos o por separado, a buscarle ganado al maestro. Luego, lo toreaban ellos dos, porque El Asombro de Barbate jamás quiso hacer la faena sin su hermano y apoderado al lado. A veces, Jenaro y yo nos toreábamos por nuestra cuenta. Y a veces, cuando coincidíamos en el hotel, cada vez de mayor categoría, con otros maestros y sus cuadrillas, si algún diestro me echaba el ojo y a mí me gustaba, siempre me las apañaba para buscar la manera y el momento para salir con él por la puerta grande.

Nació en Nueva York en 1971.
Escribe tanto en inglés como
en castellano y ha publicado
más de cien títulos como autor
y antólogo, en diversos géneros
y para todas las edades, entre
ellos el poemario *Desayuno en la
cama*; tres libros de relatos: *Dos
chicos enamorados, Bien dotado* y
Mi novio es un duende; el cómic
Vacaciones en Ibiza; y muchos
libros infantiles, como *¡Vamos
a ver a papá!, Amigos y vecinos* y
¡Es mío! Ha ganado el premio
Lambda Literary en Estados

Lawrence Schimel

Unidos por sus antologías *First
Person Queer* y *PoMoSexuals: Cha-
llenging Assumptions About Gen-
der And Sexuality*. Compagina
su labor como autor con la de
traductor para entidades como
el MNCARS, el Instituto del
Patrimonio Cultural de España,
el Centro Dramático Nacional,
el Centre Pompidou, además de
traducir literatura para varias
editoriales, revistas y festivales
en España y el extranjero.

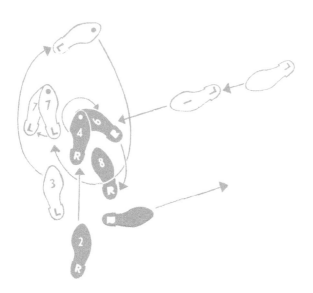

Estadísticas

Las matemáticas no tenían ningún sentido para Marcos. No su lógica —era capaz de dar con la respuesta correcta de un problema cuando se ponía a ello—, sino su sentido práctico.

Igual que la estadística que estaba estudiando ahora en su nuevo colegio. Por ejemplo: había informes y cosas así que decían que una de cada diez personas era LGTB, pero en la vida real no parecía que esto se confirmara.

En una gran ciudad como Madrid, donde vivía antes, uno podía pasar por alto que los números no cuadraban, porque había tanta gente y era un espacio tan grande que era imposible tener una visión de conjunto. Pero en el pueblo, donde se habían trasladado a vivir con su abuela después de que su madre se quedara sin trabajo y no pudiera encontrar nada durante meses, el asunto era diferente. Con una población de algo menos de dos mil habitantes, según esa estadística debería haber casi veinte personas no heterosexuales. Y por lo que había visto (y oído, porque en un sitio tan pequeño todo el mundo se metía en la vida de los demás y ese era siempre un buen tema de cotilleo), había muchos menos. Menos de uno por cada veinte. Incluso si sumaba a los recién llegados (su madre y él mismo) a la ecuación.

Por suerte, para hacer los deberes no tenía que demostrar que la estadística tenía sentido, solo aplicar sus principios para hallar las soluciones.

Marcos había contado menos de cinco en una población de casi dos mil habitantes (una pareja de lesbianas casadas de unos cuarenta años, él mismo y posiblemente un hombre de sesenta años que todo el mundo asumía que era gay aunque nunca se le había conocido ninguna pareja de uno u otro sexo), lo que hacía uno de cada cuatrocientos.

Nunca se había preocupado mucho de sus calificaciones hasta entonces. Y no es que el curso le pareciera difícil, sino más bien que no le importaba lo suficiente como para hacer el esfuerzo de sacar mejores notas. Sus intereses, sus ilusiones, estaban en otra parte, así que, como entendía que el colegio era un trámite necesario, se las apañaba para ir aprobando con el mínimo esfuerzo.

Pero ahora su madre estaba pasando una racha muy difícil —primero el divorcio, luego perder su trabajo y, por si fuera poco, tener que mudarse a casa de la abuela (el máximo exponente del fracaso para una mujer que había sido tan independiente)—, y no quería convertirse en otra preocupación para ella. Al principio pensó que cambiar de colegio a mitad de curso sería complicado, pero como se esforzaba y prestaba atención en clase (tampoco es que tuviera amigos para distraerse intercambiándose notitas), consiguió ponerse al día con el resto de sus compañeros bastante rápido. Y además, aunque los pueblos blancos eran muy bonitos, no había mucho que hacer por allí después de que cogía el autobús escolar de vuelta desde Ronda, así que por qué no aprovechar para hacer los deberes y estudiar.

Y eso era lo que estaba haciendo cuando alguien llamó al timbre y entró sin esperar respuesta. La puerta de la calle estaba medio abierta; aquí la mayoría de la gente la dejaba así cuando estaban en casa. ¡Nada que ver con Madrid!

Marcos supo que era Luis incluso antes de oír a su primo saludar a la abuela de ambos, que había salido del cuarto de estar para ver quién venía. Al principio Marcos se quedó en su habitación, escuchando, aunque sabía que debería salir y socializarse un poco. Para eso había venido Luis, después de todo, si bien Marcos estaba seguro de que no lo hacía por gusto, de que no le apetecía tener que ser siempre tan amable con su primo el mariquita.

Cuando eran más pequeños era distinto: todos los niños que tenían más o menos la misma edad jugaban juntos, en la misma pandilla. Por supuesto, Marcos era entonces más popular porque vivía en Madrid. A través de él, Luis se enteraba de todo tipo de historias sobre la gran ciudad. Y además siempre pasaba poco tiempo en el pueblo, de modo que ninguno sentía esa presión de tener que ser amigos como ahora que Marcos vivía allí. Ya eran los dos demasiado mayores para que sus padres decidieran que tenían que hacerse amigos solo porque eran de la misma edad o porque eran primos. Pero Menchu (la madre de Luis y tía de Marcos) insistía en que su hijo le invitara a ir con sus amigos porque le daba pena su hermana. Y la abuela, claro. Parecía como si todo el pueblo estuviera haciendo el esfuerzo de acogerlos, a él y a su madre, y de ayudarlos a integrarse, por el bien de la abuela.

Los vecinos siempre habían sido bastante agradables con él —la mayoría de la gente en los sitios pequeños parecía simpática, en general, y allí lo conocían de toda la vida, lo habían visto crecer, como en una secuencia a cámara rápida, durante las visitas que hacían a la familia en verano y vacaciones—, pero Marcos tenía la sensación de que ahora todo el mundo estaba haciendo un sobresfuerzo por ser amable y eso le hacía sentir incómodo. Parecía que haberse quedado «medio huérfano» cuando su padre los abandonó por otra mujer superaba a su salida del armario, o quizás es que habían tenido ya un tiempo para acostumbrarse a esto último o que la lástima era un sentimiento más poderoso que el rechazo.

En cualquier caso, Luis se pasaba por allí cada pocos días para preguntarle si quería ir a dar una vuelta con él y sus amigos. Pero aunque salía con ellos, apenas hablaba con ninguno. La verdad era que no sabía cómo relacionarse con chicos heteros. En Madrid, todos sus amigos habían sido las chicas de su clase u otros chicos gais que había conocido en los chats o a través del Área de Juventud de la Fundación Triángulo. Y aunque él mismo había fingido ser hetero hasta hacía no mucho, ahora estos le parecían miembros de una especie alienígena.

Pensando que quedaría como un maleducado si la abuela o Luis tenían que ir a llamarlo a su habitación, cerró el libro de matemáticas, se forzó a esbozar una sonrisa y salió a socializarse.

Siguió a su primo por el camino que recorría las afueras del pueblo. Siempre había sido una forma muy popular de ir de una punta a otra sin tener que pasar por las calles principales y que te viera (y a menudo te parara) todo el mundo. Cuando eran bastante más pequeños, Marcos y los otros chicos iban allí y echaban carreras hasta que se cansaban, sin padres ni vecinos que pudieran gritarles que si no iban más despacio acabarían haciéndose daño. Esa era otra de las diferencias entre la vida en el pueblo y en Madrid, donde él había crecido y donde los niños siempre tenían que estar vigilados por algún adulto por miedo a que les pasara algo. En la gran ciudad siempre había algún peligro acechando en cualquier parte, o al menos la amenaza de algún peligro, ya fuera la presencia de desconocidos, los coches o cualquier otra cosa. Pero aquí, en el pueblo, se dejaba a los niños que anduvieran a su aire, libres y salvajes, incluso desde muy pequeños. Todos se conocían y eran como una gran familia, y hasta cuando había peleas o discusiones, como en todas las familias, la gente aún valoraba esos lazos.

Antes, cuando chicos y chicas jugaban juntos, sin distinciones, eran felices corriendo por aquel camino y dando vueltas al pueblo o metiéndose entre los matorrales para intentar cazar lagartos o culebras. Pero después de que el grupo se deshiciera de repente, entre una visita de Marcos y la siguiente, apenas había vuelto a hacer ese recorrido. Después de salir del armario, aunque nadie en el pueblo le dijo nunca nada directamente (no como en Madrid, donde parecía que los desconocidos le soltaban alguna bordería al menos una vez a la semana), siempre le había parecido más seguro ir por el centro, donde en todo momento había gente. Había asumido que, una vez que la pandilla se había disgregado, todos habían dejado también de ir por el sendero. Sin embargo, ahora que había ido a vivir allí, ahora que era un poco mayor, se daba cuenta de que esa forma de pensar no era más que la miopía y la arrogancia de la juventud: olvidar que el resto del mundo sigue existiendo cuando uno no está allí para formar parte de él.

Parecía que a los chavales de su edad les había dado por ir de nuevo hasta el camino, pero ahora se alejaban aún más, para asegurarse de estar fuera de la vista de sus padres o de cualquier otro adulto. Todas las tardes que Luis había pasado a recogerlo habían ido al mismo sitio, como si siguieran una especie de rutina. Solo se podía acceder saliéndose del camino y avanzando entre los arbustos hasta alcanzar un pequeño claro entre los árboles, que formaban algo parecido a una habitación en medio del bosque y que se mantenía fresco bajo la sombra de las ramas altas que lo cubrían. Con algunos troncos habían hecho una especie de círculo y, cuando llegaron, los amigos de Luis, Kike y Paco, ya estaban allí, fumándose un porro. Esa era una de las razones de haber elegido un lugar tan apartado.

Sentándose sobre uno de los troncos, Marcos se preguntaba si a los amigos de Luis les molestaría que se hubiera entrometido de repente en su pequeño grupo. Pero Luis era sin duda el líder de los tres, así que si él decía que su primo tenía que acoplarse con ellos algunos días, los demás estaban de acuerdo. Y lo cierto era que su presencia apenas se notaba. Ellos seguían chismorreando, normalmente sobre chicas y sexo, e incluso le pasaban el porro después de que todos hubieran dado una calada. En cierto modo, esa era la mayor muestra de aceptación que podían ofrecerle: su más absoluta indiferencia. Le permitían estar allí y no le exigían que participara en la conversación, dejando que fantaseara mientras empezaban a colocarse.

—El otro día vi a Belén en biquini —dijo Kike mirando a Luis por el rabillo del ojo—. Todavía hace frío para bañarse, pero estaba tomando el sol con sus amigas. Y oye, ¡sí que está buena! ¿Os acordáis de lo gorda que estaba de pequeña?

—No hables así de ella —dijo Luis con serenidad, sin entrar al trapo.

Marcos empezó a prestar atención a la conversación.

—¿Belén, la hermana pequeña de Sara? —preguntó.

—Sí —contestó Kike—. Luis está colado por ella, pero no se atreve a pedirle salir.

—¡Tiene miedo de que le diga que no! —añadió Paco con una carcajada demasiado exagerada para el comentario.

Marcos conocía a Belén. Ahora estaban en colegios diferentes, pero era parte de la pandilla de chiquillos que iban juntos cuando él venía de visita. Su hermana Sara era demasiado mayor para ir con ellos, igual que el hermano mayor de Luis, Manuel. Y era cierto que Belén era bastante regordeta de pequeña, pero siempre estaba de buen humor y era muy lista. Marcos siempre quería estar en su equipo cuando el grupo se dividía en varios bandos.

—Su amiga Olga antes estaba mejor, porque siempre ha sido más delgada. Pero míralas ahora: Olga todavía es plana como una tabla y Belén tiene curvas donde las tiene que tener. —Kike movió las manos en el aire dibujando la silueta de un reloj de arena—. Solo le hacía falta pegar un estirón. ¡Y ahora todos los tíos quieren *estirársela*!

Marcos miró a su primo, pero Luis se limitó a encender otro cigarrillo, negándose a contestar a las burlas de sus amigos.

—Casi todos —añadió Paco mirando a Marcos.

—Lo siento —dijo Kike.

La tensión, momentánea, se rompió.

—¿De verdad te interesa llamar la atención de Belén? —le preguntó Marcos a su primo.

Luis lo observó sin decir nada durante un buen rato.

Todos parecían estar conteniendo la respiración, hasta que al fin Luis dejó escapar una larga bocanada de humo. Esperó aún un rato más, como si se estuviera debatiendo entre reconocer o no que la chica le gustaba. Casi podían oírse los pensamientos arremolinándose en su mente mientras calculaba qué podía saber su primo o qué sería capaz de ofrecerle. Entonces tuvo un momento de revelación: quizás Marcos por ser gay tuviera una perspectiva más acertada de lo que las chicas pensaban de ellos.

—Sí —dijo por fin—. ¿Qué es lo que sugieres?

—Va a mi clase de flamenco. Después del colegio, los lunes, miércoles y viernes.

El flamenco era su gran pasión desde hacía años. Desde antes incluso de reconocer su homosexualidad —ante él mismo o ante cualquier otra persona—. Y lo había hecho marginarse aún más. Pero cuando se supo que era gay, eso le dio cierto caché entre algunos de sus compañeros. No entre los deportistas, desde luego, con su masculinidad juguetona que a menudo se asemejaba tanto a la intimidad entre hombres que el más mínimo indicio de homosexualidad los hacía reaccionar contando chistes homófobos para tratar de distanciarse tanto como pudieran de cualquier sospecha de «anormalidad», de cualquier viso de desviación del «buen camino». Pero con las chicas era distinto; entre ellas estaba de moda tener un amigo abiertamente gay. Y Marcos se encontró de repente siendo alguien popular, todo un cambio respecto a su vida anterior, cuando solo era un «rarito» solitario.

Pero nadie entendía realmente su pasión por el flamenco. Ni siquiera los amigos gais que había conocido *on-line* o en los colectivos. Ni siquiera había un solo chico aparte de él en la escuela de flamenco donde estudiaba en Madrid. Era una afición nada guay y todos deseaban que lo dejara. Todos excepto su madre, que siempre había sido su mayor apoyo y su más acérrima defensora en todo lo que había decidido hacer. A veces Marcos pensaba que había sido el divorcio lo que había hecho que su madre se entregara con tanto entusiasmo a todos y cada uno de sus deseos, como si necesitara aliarse con su hijo frente a la traición de su marido.

Pero si algo deseaba de verdad, era que su madre se tomara las cosas con más calma, que no le diera tanta importancia a todo. Como cuando se mudaron al pueblo: la primera semana lo llevó a cenar a casa de la pareja de lesbianas, como si la homosexualidad fuera suficiente para crear un vínculo instantáneo entre ellos cuando en realidad tenía menos en común con esas mujeres que le doblaban sobradamente la edad que con su primo Luis, a quien su madre había medio obligado para que lo tomara bajo su protección. Marcos quería a su madre y le encantaba que intentara ser tan comprensiva, pero muchas veces deseaba que no hiciera siempre un drama de todo.

Aun así le agradecía que lo apoyara en su pasión por el flamenco. La primera vez que su madre mencionó la posibilidad de ir a vivir al pueblo, después de meses y meses sin encontrar trabajo, ya se había descargado de internet un montón de información de varias escuelas en Ronda a las que Marcos podría ir después de clase. Aunque fuera a desarraigarlo físicamente, llevándolo a vivir lejos de su padre (si bien apenas lo veía, pues ni siquiera había intentado solicitar la custodia compartida de su único hijo y ahora vivía con una mujer más joven que su madre que tenía dos hijos de un matrimonio anterior), quería asegurarse de que mantuviera el vínculo con sus sueños.

—¿Y qué? —dijo Luis.

—¿Crees que debería intentar camelársela compartiendo tutús y trucos de maquillaje? —dijo Paco con otra de sus exageradas carcajadas.

—No estoy diciendo que te apuntes a la escuela —contestó Marcos—. De hecho, eso echaría a perder lo que tengo pensado. La cuestión es que el Corpus es dentro de unas semanas. Si supieras bailar, aunque solo fuera unas sevillanas… le sacarías ventaja a los demás. Ahora mismo yo soy el único chico de mi escuela, aparte de los dos profesores, que son unos viejos. ¿Qué creéis que ocurrirá en el Corpus? Soy el único chico de menos de veinte que sabe bailar. Tendré que quitarme a las tías de encima con un palo, y ni siquiera me interesan las chicas. Pero para alguien a quien sí le gusten…

Probablemente era lo más largo que había dicho Marcos en todas las veces que había salido con su primo y sus amigos. Pero eso no era lo sorprendente, ya que estaba hablando de lo que realmente le importaba: el flamenco. Lo que le asombró fue el silencio que se hizo cuando terminó de hablar. No era para nada despectivo, como sí habría sido en Madrid.

—Pues tiene razón —dijo Kike—. Me están entrando ganas hasta a mí.

—No sé… —contestó Paco—. Yo no soy ningún Billy Elliot.

—¿Y cómo lo hago? —preguntó Luis—. ¿Cómo consigo…, cómo conseguimos aprender a bailar sevillanas antes de que llegue el Corpus?

Marcos intentaba no dejar traslucir su entusiasmo, pero por dentro se sentía eufórico. Por mucho que lo intentó, no pudo evitar que se le dibujara una gran sonrisa en los labios.

—Muy sencillo —dijo entonces—. Yo os enseñaré.

Aquella noche Marcos estuvo dando vueltas en la cama, con la luz apagada pero sin poder dormir durante un buen rato. Su mente volvía una y otra vez a lo que había pasado por la tarde, a la euforia que había sentido en aquel claro del bosque con Luis y sus amigos, que le recordaba a ese sentimiento que llamaban «duende», a las pocas ocasiones en las que había logrado alcanzarlo mientras bailaba, antes de que lo atravesara; ese duende que había experimentado por primera vez viendo bailar a otros con tanta perfección que le había hecho desear bailar para sentirlo desde dentro; ese sentimiento que lo tenía enganchado al flamenco, adicto como si fuera algún tipo de droga, como la heroína, y él un yonqui siempre en busca del próximo chute.

Les había dicho a los demás que tenía que irse a casa a terminar los deberes, pero que podían volver a encontrarse allí al día siguiente. Si se hubiera quedado, el momento se habría estropeado. Y ellos dejaron que se fuera, solo, y se quedaron allí, quizás un poco avergonzados de lo que habían decidido hacer. Tendría que ser un secreto.

Marcos no podía creer que su primo hubiera aceptado. Que los tres hubieran dicho que sí. Si el interés por el flamenco fuera una estadística fija, por lógica en una ciudad con una población tan numerosa como Madrid, tendría que haber encontrado a más gente que compartiera su afición. Pero no. Y aquí en el pueblo, con una población infinitamente menor, la estadística indicaba que debería haber aún menos gente posiblemente interesada en el flamenco, para mantener las proporciones. Una vez más, la realidad demostraba que las estadísticas no funcionaban. Las matemáticas no tenían sentido.

O quizás es que Marcos había encontrado finalmente la variable que podía inclinar la ecuación a su favor: el interés sexual. El baile era algo extremadamente sensual. También para Marcos, aunque a menudo le hacía sentir algo confundido. No sobre su sexualidad ni sobre su identidad de género; sabía que le gustaba ser un chico y que sexualmente se sentía atraído por otros chicos. Pero cuando se trataba de bailar, su confusión venía del rol que tenía que representar. No quería simplemente bailar con otros chicos, igual que las chicas bailaban juntas en clase porque no había suficientes chicos para formar parejas. Él quería bailar con otro chico, en el papel de la chica. Marcos quería bailar llevando un vestido flamenco, con toda su espectacularidad, quería atraer hacia él todas las miradas, la del público, por supuesto, pero sobre todo la atención y la energía del bailaor masculino.

Marcos creyó que sería el primero en llegar, pero para su sorpresa su primo y sus amigos ya estaban allí. Fingió que le costaba respirar después de haber subido la colina para disimular su repentino gesto de asombro, aunque de hecho estaba en bastante buena forma después de tantas horas de baile. Tanto aporrear el suelo, tacón-punta-tacón, hacer que la madera cantase con el ritmo sincopado de todos esos pies taconeando al unísono te hacía sudar. Y requería desarrollar también cierto aguante, bastante resistencia. Puede que su primo y sus amigos fueran más fuertes que él, quizás incluso más rápidos en una carrera de velocidad, pero estaba seguro de que podría superarlos en la larga distancia, de que ellos pronto flaquearían mientras él aún tendría energía para continuar.

Pero en esa primera lección empezarían despacio, aprendiendo lo básico. Aunque nunca había enseñado antes, Marcos había ido a tantas clases que sabía lo que había que hacer. Solo era cuestión de cambiar el chip, de ponerse en la mente del profesor en lugar de la del alumno. Así que respiró hondo, trató de imaginar que estaban en un estudio de baile en lugar de en medio del bosque y dijo:

—Ahora que ya estamos todos, empecemos.

Dejó caer su mochila al suelo y, solo entonces, se dio la vuelta para mirar a los otros.

Se pusieron los tres formando una línea, mirándolo de frente. Aún iban vestidos con la ropa del colegio, con vaqueros y camiseta. Marcos, sin embargo, se había puesto un chándal para tener mayor movilidad. Solo iban a aprender sevillanas, así que tampoco es que fueran a hacer un gran esfuerzo físico, pero él albergaba en secreto la esperanza de que podrían continuar, después de las sevillanas, y quería tomarse en serio su papel.

—Empezaremos con unos estiramientos —dijo—, igual que se hace antes de cualquier deporte. Porque en realidad eso es lo que es el baile. Y aunque es probable que no tengáis que estirar antes de bailar una sola canción, en la feria necesitaréis hacerlo porque será algo mucho más largo e intenso. Preparaos para sudar.

Marcos los dirigió a través de una serie de ejercicios básicos, que servían tanto para hacerlos calentar como para que se acostumbraran a seguir sus indicaciones. Se notaba que los tres estaban nerviosos, era evidente por la forma que tenían de moverse frente a él, como si se sintieran más seguros estando pegados unos a otros. Además no dejaban de mirar alrededor, como si temieran que alguien los descubriera. Marcos esperaba que aquellos ejercicios de calentamiento, que les eran más familiares, les sirvieran para relajarse. Se giraba y les daba la espalda para mostrarles cómo tenían que hacerlo, de modo que les fuera más fácil seguir sus movimientos —y también para darles un respiro y que no se sintieran tan observados—. Pero luego tenía que mirarlos, ver lo que hacían para asegurarse de que lo estaban haciendo bien; lo último que necesitaba era que alguno se hiciera daño por no haber estirado correctamente.

Cuando terminaron de calentar, Marcos abrió su mochila, sacó el iPhone y un altavoz portátil y los colocó sobre uno de los troncos que les servían de asientos.

—Bien, seguro que todos habéis visto unas sevillanas —les dijo—, pero antes de empezar a enseñaros cómo se bailan, paso por paso, voy a bailar yo una entera y quiero que prestéis mucha atención a lo que hago. Quiero que escuchéis la música y que sintáis cómo la música y mis movimientos fluyen juntos.

Marcos hizo sonar la primera canción de su lista de reproducción y levantó los brazos, preparándose mientras sonaba la obertura, esperando el pie para empezar. Se había puesto de espaldas a los chicos para que pudieran imaginarse en esa misma posición. De hecho, se preguntaba si ya estarían intentando imitarlo, levantando ligeramente los brazos para copiar su postura.

Dejó que su cuerpo se fundiera con la música, ahí llegaba el pie, y empezó a bailar. Pero después de la primera vuelta, ahora que estaba de frente a sus tres alumnos, tuvo que recordarse a sí mismo que no estaba allí solo para bailar, sino para enseñar, y se forzó a exagerar cada movimiento para que los otros pudieran apreciarlos y, esperaba, imitarlos con más facilidad. La música lo arrastraba, pero Marcos trataba de ralentizar cada vuelta, de aislarla, convirtiendo el baile en una secuencia de pasos en lugar de una única experiencia espiritual.

Cuando terminó la canción, se quedó parado en el sitio un momento, acostumbrándose de nuevo al repentino silencio, a la ausencia de música, y luego se giró hacia los tres chicos. Lo estaban mirando atentamente y se respiraba cierta tensión en el ambiente, hasta que Luis empezó a aplaudir, despacio. No era un aplauso irónico, sino de admiración. Paco y Kike empezaron a aplaudir también, más deprisa y desacompasados. Marcos se sonrojó y les dio las gracias, pero enseguida se puso serio.

—Ahora os toca a vosotros.

Los guiaba despacio a lo largo de cada paso, sin música, los cuatro formando una sola línea. Primero se colocaba en un extremo y luego en el otro, y después en el medio, de modo que al final había estado al lado de cada uno de ellos en un momento u otro, para que siguieran sus movimientos con más facilidad y también para poder corregirlos mejor con un toque en un brazo o una pierna para indicarles que debían flexionar más, o que ahora era un pie y no el otro.

Necesitaban un espejo. Era difícil corregir los errores si uno no era capaz de ver lo que estaba haciendo. Porque uno en su cabeza se ve a sí mismo realizando cada movimiento a la perfección, aunque la realidad era muy distinta. Pero tendrían que arreglárselas con lo que tenían.

—Vamos a intentarlo con música —dijo Marcos.

En su iPhone sonaba una canción tras otra. A veces toqueteaba la pantalla para que alguna empezara desde el principio y pudieran volver a repasar la salida una vez más. Para su sorpresa, aunque los tres estaban bastante rígidos y se movían como si tuvieran dos pies izquierdos, todos eran capaces de seguir el compás de la música y de reconocer el pie para empezar a bailar. Una vez que se ponían en marcha, empezaban a parecerse al Hombre de Hojalata de *El mago de Oz* antes de que le engrasaran las bisagras. Pero cuanto más practicaban, más se soltaban, sus músculos se fortalecían y eran capaces de recordar los movimientos de modo que cada paso requería menos esfuerzo que al principio. Y cada vez que empezaban a flaquear, cansados de tanta repetición, de hacer los mismos movimientos una y otra vez, Marcos les recordaba cómo impresionarían a las chicas en el Corpus, y eso les daba un nuevo aliento o, al menos, hacía que dejaran de quejarse.

No podían practicar todos los días, sus horarios no se lo permitían ya que Marcos tenía sus clases de flamenco en Ronda, donde veía a Belén y, algunas veces, se sonreía imaginando su cara de sorpresa cuando Luis la sacara a bailar. Por supuesto, los chicos habían olvidado la mayor parte de lo que habían aprendido entre la primera y la segunda clase, pero recordaban un poco más entre la segunda y la tercera, y aún algo más entre la tercera y la cuarta. Ya podían bailar a trompicones una canción entera, aunque a veces parecían zombis más que bailaores.

Para sorpresa de todos, Kike era el más adelantado de los tres, desafiando el liderazgo de Luis en el pequeño grupo. Pero esto solo hizo que Luis estuviera aún más decidido a aprender más rápido y mejor, y empezó a pasarse por casa de su abuela más a menudo, incluso si no podían practicar ya que Luis insistía en que había que mantener todo aquello en el más absoluto secreto.

Una noche Marcos oyó por casualidad a Menchu hablando con la abuela.

—Tú que los ves juntos más que yo… ¿no crees que Luis está un poco… «obsesionado» con Marcos?

La abuela se rio y Marcos, en su habitación, también, porque sus sospechas no podían estar más lejos de la realidad. Él estaba ayudando a Luis a conquistar a la chica con la que estaba «obsesionado».

—Es que… Ya sabes que yo insistí mucho, cuando volvieron al pueblo, para que Luis sacase a su primo, porque aquí Marcos no tenía amigos y, con todo lo que pasó con Sandra, quería ayudarlos a sentirse bienvenidos. Pero ahora… no sé, creo que Luis queda más con Marcos que con sus amigos…

—Y como Marcos es gay, temes que haya podido seducir a tu hijo —terminó la abuela.

Marcos contuvo la respiración. Quería acercarse más a la puerta para no perderse una sola palabra, pero tenía miedo de que si se movía haría algún ruido que delataría que estaba escuchando.

—Bueno, ¿no es lo que pensaría cualquier madre? —añadió Menchu.

—¿Y si fuera así? —le preguntó la abuela—. ¿Sería un problema?

—No, por supuesto que no —contestó su tía de manera automática, aunque sin ninguna convicción, porque sabía que realmente no pensaba eso, y se daba cuenta de que su madre lo sabía también.

Pero la abuela no quiso forzar la situación. Después de un largo silencio, aunque los pensamientos de su tía Menchu se agitaban tan furiosamente en su cabeza que Marcos casi podía oírlos desde su habitación, le dijo a su hija:

—No creo que tengas nada de lo que preocuparte. Luis está creciendo, es un buen chico y él y Marcos tienen una amistad sana y normal. Por lo visto, la gente joven y nosotros los viejos tenemos menos prejuicios que el resto. Después de todo lo que pasamos con Franco…

Marcos respiró por fin. Dudaba sobre si hablar con Luis de los temores de su madre, pero decidió que sería mejor no decirle nada, no fuera a ser que se rompiera el frágil equilibrio que habían creado en sus clases secretas de baile. Aunque Menchu pensara que su hijo guardaba en el armario su sexualidad, solo escondía el hecho de que estaba aprendiendo a bailar sevillanas, y todo para llamar la atención de una chica. Las estadísticas en el pueblo permanecían en uno de cada cuatrocientos.

Los alumnos de Marcos, como todos los jóvenes, querían avanzar deprisa con las clases, en lugar de repetir tanto los pasos básicos.

—¿Cuándo vamos a aprender a bailar en parejas? —preguntó Kike en la quinta lección.

Tenía sentido que fuera Kike el primero en atreverse a mencionar la cuestión, ya que era el más aventajado de los tres. Marcos sabía que algunas veces Luis practicaba solo, pero aún le faltaba ese sentido innato que sí tenía Kike y que le permitía ajustar sus movimientos a la música.

Pero cuando llegó el momento de bailar con Marcos, toda la gracia de Kike lo abandonó de repente. Paco ponía la canción una y otra vez, pero Kike se trastabillaba siempre que tenía que acercarse a Marcos y no paraba de mirar a su alrededor en lugar de a su pareja de baile, como si pudiera haber alguien espiándolos.

—Lo siento —dijo—. Es que no me siento muy cómodo con esto.

Marcos se preguntaba si sería más fácil para Kike bailar con alguno de sus amigos que con un chico que sabía que era gay.

—Vale. Vamos a intentar algo un poco distinto.

Abrió de nuevo su mochila y sacó un vestido flamenco largo de volantes, blanco con grandes lunares rojos.

—No pienso ponérmelo —advirtió Kike.

—No es para ti, idiota —replicó Marcos.

Y comenzó a quitarse la ropa para ponerse el vestido. De repente los otros tres empezaron a sentirse incómodos, sin saber a dónde mirar. A Marcos le resultaba gracioso lo fácil que era ponerlos nerviosos. Y también le divertía que se hubiera dado la vuelta a la tortilla de aquella manera. En los vestuarios del colegio, mientras se cambiaban para la clase de gimnasia, era él el que se sentía incómodo, le parecía que todo el mundo se sentía violento pensando que los observaba mientras se quitaban la ropa. Y ahora, mientras se quitaba el chándal para ponerse el vestido, los chicos hetero eran los que parecían nerviosos, esforzándose por dejar claro que no miraban ese cuerpo que se dejaba ver por un momento, que no tenían ningún interés en verlo desnudo.

Marcos se metió en el vestido flamenco y se lo subió, deslizando los brazos por las mangas.

—Que alguno me lo abroche —pidió dándoles la espalda, lo que les permitió recuperar el control de su incómoda situación.

Luis se adelantó y le abrochó la cremallera. Marcos se volvió hacia Kike, levantó los brazos poniéndolos en posición y le hizo un gesto con la cabeza a Paco para que pusiera de nuevo la canción.

—Esto es muy raro —dijo Kike—. No sé si voy a poder hacerlo.

Pero el vestido funcionó. Era como una especie de metonimia; los chicos olvidaban que estaban bailando con Marcos y se hacían a la idea de que bailaban con alguna chica, representada por el vestido. Aún se sentían raros bailando entre ellos. Kike y Paco lo intentaron una vez, mientras Luis bailaba con el Marcos-vestido, pero después ya solo bailaban todos con el Marcos-vestido.

Y resultó que bailar en parejas era justo lo que Luis necesitaba para avanzar hasta el siguiente nivel. Bailar solo había sido su problema. Pero con alguien enfrente, Luis enfocaba toda su energía en la persona con la que bailaba. Era electrizante. Y Marcos se deleitaba con esa sensación. Ahí estaba, el duende que siempre había buscado cuando bailaba y que siempre se le había negado porque sus profesores nunca le habían permitido vestirse de aquella manera, obligándolo a bailar en el rol masculino porque era el único chico de la clase.

«Si nos viera Menchu...», pensó. Pero pronto se dejó llevar por la música y el baile. Tenía miedo de pensar demasiado. Miedo de que después de todo Menchu sí tuviera algo por lo que preocuparse. No porque Luis estuviera enamorándose de su primo, sino porque quizás su primo estuviera empezando a enamorarse de él. Al menos, mientras bailaban juntos.

Pronto ya no necesitaron ensayar tan a menudo, una vez interiorizaron los movimientos del baile como una rutina. Según se acercaba la fecha del Corpus, no obstante, se seguían reuniendo algunas veces, allí en el bosque, para no perder la práctica ahora que el inminente gran día estaba a tiro de piedra. Marcos se sentía dividido: por una parte estaba deseando tener la excusa para ponerse el vestido y bailar con ellos, y por otra temía el momento en el que ya no pudiera hacerlo más; su miedo era no volver a tener la oportunidad de bailar así con nadie. Intentaba no dejarse hundir por esa angustia. En vez de eso, trataba de verter toda esa energía en la danza cuando bailaba con los tres, intentando enseñarles no solo a seguir los pasos sino a sentir el baile con él —bueno, no con él exactamente, sino con la persona a la que representaba su vestido para cada uno de ellos—.

Y funcionó. Incluso con Paco, que consiguió bailar una canción entera con el Marcos-vestido. Paco no brillaría nunca como bailarín, pero sabía lo suficiente para bailar en la feria, donde todo lo que necesitaría para triunfar era ser un chico y conocer los pasos básicos. No había que llegar a sentir el duende en todos los bailes. Bastaba con que pasaran un buen rato bailando.

Y también funcionó para Marcos. Había sido difícil hacer entender a su madre por qué le pidió que le comprara un vestido. Como de costumbre, ella había reaccionado con un entusiasmo exacerbado y había dado por hecho que su hijo era transexual, y no solo gay, por lo que intentó mostrarse ultracomprensiva y aceptarlo enseguida. Marcos tuvo que explicarle que era un chico, que le gustaba serlo, y que el hecho de querer ponerse un vestido flamenco no cambiaba eso, que no significaba que fuera «trans». El vestido era otra cosa, no tenía que ver con su identidad sexual sino con su identidad en el baile. Siempre le había atraído más el baile de las mujeres, y cuando sentía el duende quería recrear ese sentimiento bailando él mismo, pero en el rol femenino. No es que no hubiera bailaores con esa fuerza, Marcos había visto algunos, e incluso en ocasiones había sentido esa energía en sí mismo bailando alguno de los roles masculinos que sus profesores le habían enseñado y que le obligaban a interpretar porque siempre había tan pocos hombres con los que trabajar. Pero no era lo mismo. El baile de la mujer en el flamenco siempre era más colorido, más vibrante, más vivo. El hombre estaba ahí como un mero contrapunto de la energía y la exuberancia femeninas. Y aunque Marcos no quería ser una mujer, deseaba bailar con esa fuerza. Con ese entusiasmo. Con esa especie de abandono. Y con ese poder de seducción. Porque las mujeres, cuando bailaban, resultaban mucho más cautivadoras que los hombres. Atraían la mirada del espectador. Y también acaparaban toda la atención del hombre que bailaba con ellas. Eso era lo que Marcos más deseaba. No solo bailar, sino ser el centro de atención, sobre todo de la atención de los hombres, mientras bailaba. Y eso no se lo daba solo el hecho de bailar con otro hombre —como a veces pasaba cuando en la academia algún profesor bailaba con él—, no al menos en la misma medida, no al mismo nivel.

Al final su madre aceptó que su hijo solo era gay, y no transexual, pero le compró el vestido de todas formas porque no podía negarle nada de lo que le pedía. Sobre todo porque casi nunca pedía nada, y las pocas cosas que pedía tenían que ver con su pasión por el flamenco. Así que lo aceptó, y lo aceptaba a él, incluso si no terminaba de entenderlo. Los profesores de baile eran otra historia. En Madrid, se habían negado a enseñarle los pasos de los roles femeninos. Aunque él, por supuesto, se fijaba en sus compañeras cuando bailaban y trataba de memorizar sus movimientos y cómo correspondían a los suyos propios, si bien solo podía practicar en privado, en su casa. Cuando se mudaron al pueblo, Marcos ni siquiera se molestó en intentar pedir a los profesores de Ronda que le dejaran bailar los papeles femeninos. Ya sabía lo inflexible que podía ser el mundo, y especialmente el varonil mundo del flamenco, así que no quiso echar más leña al fuego. Por eso aquellos momentos robados, bailando en el bosque en lo alto del pueblo con sus tres alumnos, significaban tanto para él.

Marcos intentaba no dejarse amargar por la envidia que sentía hacia Belén. Sabía que él solo era un sustituto para Luis, que nada tenía que ver con sus deseos o con lo que al final había conseguido, aunque hubiera sido por poco tiempo. Pero ¿no era eso el duende, después de todo? Esa fugacidad, la imposibilidad de prolongar una emoción así. No solo el «quejío», sino el silencio después del lamento. Y como sabía que aquel momento pasaría demasiado rápido, Marcos se entregaba en cuerpo y alma al baile, y se sobreponía.

Al fin llegó la noche del Corpus Christi.

—¿No tienes ganas de ir a la feria? —le preguntó su abuela.

Marcos le sonrió.

—Pues claro —dijo—. Pero quiero darme una ducha primero. Id vosotras y luego os alcanzo.

Cuando por fin estuvo solo en casa, se permitió sentir esa tristeza que había estado bullendo en su interior durante todo el día, amenazando con embargarlo. La dejó salir y que lo inundara. Esa noche significaba el final de sus clases de baile con Luis y sus amigos. Esa noche significaba volver a cambiar de papel, regresar a los trajes y los pasos de baile masculinos. Se preguntaba si sería algo así lo que sentiría Superman cuando volvía a ser Clark Kent. Aunque Superman no tenía alas de verdad, así se sentía Marcos ahora, como si le hubieran cortado las suyas. Todo tenía un color apagado, mortecino, grisáceo. Incluso el traje que se puso, después de ducharse, era monocromático: blanco, negro y gris. Elegante, pero descolorido. Así se sentía.

—¿Cariño?

Su madre lo estaba llamando.

—Creía que os habíais ido ya —dijo Marcos.

—Estaba preocupada —contestó ella—. No es propio de ti perder una oportunidad de bailar flamenco —añadió con una gran sonrisa.

Marcos sonrió también, intentando parecer feliz para no preocupar a su madre, para no ser otra carga para ella.

—Estaba esperando para bailar contigo la primera —le dijo ofreciéndole el brazo, y juntos se marcharon hacia la feria.

Marcos bailó con su madre, y también con muchas otras

chicas. Todo el mundo sabía que bailaba, así que estaba muy ocupado. La sorpresa, para todos los demás, fue que Luis, Kike y Paco también sabían bailar. Y le atribuyeron el mérito a Marcos como profesor. Sus tres exalumnos estaban muy solicitados. Marcos incluso pudo sentarse durante algunas canciones, alegando que estaba cansado, y los observaba mientras bailaban felices con las chicas. Los tres bailaron con distintas parejas, pero a Marcos le alegró ver que Luis volvió a bailar con Belén. Y cuando bailaban juntos, ella era el objetivo de toda su energía y atención. Marcos recordaba cómo se sentía al ser el receptor de esa fuerza, y envidiaba un poquito a Belén, pero sobre todo se sentía feliz por ellos y se dejó contagiar por su unión, por ese duende que sentían mientras bailaban.

Después de terminar una de las canciones, cuando Luis levantó la vista, vio que Marcos los estaba mirando y sonrió de una manera que iluminó toda la feria. Belén y Luis se acercaron a él. Iban cogidos de la mano, y los dos sonreían.

—Parece que tengo que darte las gracias —dijo Belén—. Por enseñarle a bailar.

—Un placer —contestó—. Ha sido un alumno excelente.

—Aun así, siento que al final he sido yo la beneficiada de tu trabajo. ¿Qué te parece si bailamos tú y yo, para agradecértelo?

Marcos sonrió, pero dijo que no con la cabeza.

—Gracias, pero tenéis que bailar vosotros, ¡que para eso le he enseñado!

—Vaya, ¿estás bien? —le preguntó Belén—. Nunca he visto a Marcos rechazar una invitación para bailar flamenco —le aclaró a Luis.

Luis miró a su primo detenidamente.

—He visto cómo bailabas antes, con algunas de las chicas —dijo—. Para ti no es lo mismo, ¿no?

Marcos miró a su primo a los ojos, y a los dos les vino a la cabeza el recuerdo de lo que sentían cuando bailaban juntos y Marcos llevaba puesto el vestido, lo que habían sentido cuando Luis bailaba con Belén. Marcos sacudió lentamente la cabeza.

Luis volvió a mirar a su primo en silencio.

—Ve a ponerte tu vestido entonces —dijo por fin, aún agarrado de la mano de Belén—. Yo bailaré contigo.

Nació en Pontevedra en 1986. Tras licenciarse en Historia del Arte por la Universidad de Santiago de Compostela, se trasladó a Madrid para cursar el Máster de Edición Universidad Autónoma de Madrid-Taller de Libros, que supuso su puerta de acceso al mundo editorial, del que no tiene intención de salir. Su primera incursión literaria

Álvaro Domínguez

fue en amateurshotel.es, portal que acoge a artistas en ciernes, con el deseo de compartir sus creaciones a través de una revista digital y un libro impreso financiado mediante *crowdfunding*, donde se pueden encontrar varios relatos del escritor gallego.

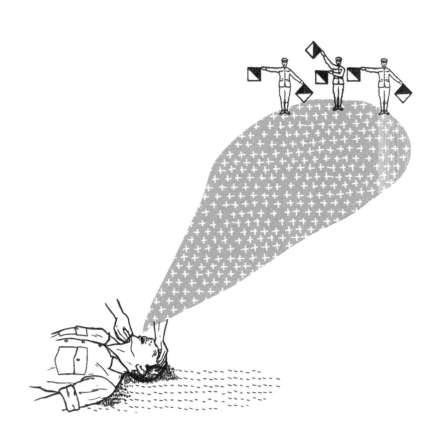

No te levantes

El abuelo se pone a carraspear, así que mamá empieza a recoger la mesa. La tía Laura la ayuda a regañadientes, o eso me parece a mí. Casi al mismo tiempo —yo diría que unos segundos antes— Gonzalo se levanta mientras coloca cuchillo y tenedor sobre su plato, y encima el de Teresa, que está sentada al lado de la tía. Y sentada se queda. Tanto la amabilidad del primo como la vagancia de mi hermana se ganan una de las miradas fulminantes del abuelo.

—No te levantes, hijo —le dice mamá a Gonzalo sin dejar de acumular platos sucios entre sus manos hasta que forma una torre tambaleante y resbaladiza—. Déjate estar.

Gonzalo no hace caso, se empeña en ayudar.

—Y tú podías tomar ejemplo de tu primo —refunfuña mamá mirando de reojo a Teresa, que ni se inmuta; ella sigue a su rollo, deslizando el dedo índice sobre la pantalla de su móvil con la misma agilidad que el primo al entrar y salir de la cocina—. Yo no he criado a una señorita maleducada.

Teresa desaira la crítica entornando los ojos. Claro que también puede estar despreciando lo que sea que esté leyendo en su móvil.

—¿Y por qué no le dices lo mismo a Bruno? —se defiende. Por lo visto sí que estaba escuchando. Y qué mejor manera de quitarse la mierda de encima que echár-mela a mí.

Mamá se lleva a la cocina el desafío de Teresa con los platos sucios que quedaban y la tía Laura vuelve con alguno limpio; Gonzalo trae los que faltan.

—¡No seas respondona! —dice cuando vuelve al salón con la bandeja de pescado, que deja en el centro de la mesa al mismo tiempo que apunta directamente a papá con la cabeza en busca de refuerzos.

—Deja a la niña tranquila —dice él con tono de cansancio mientras coge la cuchara para servirse la guarnición; mamá se la quita y de mala gana le sirve ella misma. Con las manos en alto, como ofreciendo su rendición, él la deja.

Mamá vuelve a su silla, entre la mía y la de papá, que está sentado en la cabecera opuesta al abuelo, y todos atacamos la comida. Nadie parece tener nada más que decir; y, si alguno lo tiene, se lo traga empujándolo con ayuda del vino.

—¿Por qué yo no puedo beber vino como los demás? —reclama Teresa. Su voz se abre camino entre el ruido que provoca la refriega de cuchillos y tenedores. Pero, como todas las causas perdidas de antemano, no tarda en apagarse.

—Muy rico, el pescado.

No sé qué es exactamente, pero está hecho al horno. Un poco seco para mi gusto.

—Si soy mayor para recoger la mesa, también lo soy para beber vino —insiste mi hermanita, la activista de la familia.

—De verdad, no me entra en la cabeza que te cueste tanto ser amable. —Mamá ignora el cumplido por la comida. Responder a una provocación debe de parecerle mucho más jugoso, y el desacato a la autoridad es un asunto que no está dispuesta a pasar por alto. En realidad nunca pasa por alto ningún asunto, menos aún si tiene que ver con Teresa.

—Tengamos la fiesta en paz.

La voz de papá se hace escuchar por primera vez desde que llegamos a casa de los abuelos, y tanto mamá como mi hermana agachan la cabeza. El chirriante movimiento de cubiertos diseccionando la carne blanca resuena hasta imponerse definitivamente sobre cualquier amago de conversación.

Es un poco como mi hermana, el pescado. Y no me refiero a los ojos saltones, que también. Sus esfuerzos por defenderse son escasos; en silencio se deja descuartizar, entre la indiferencia y la rendición, con la confianza de que alguno de nosotros se atragante con una espina furtiva.

Como siempre, el abuelo termina antes que nadie. Alcanza su pitillera bañada en plata, que resplandece junto a su copa, y se enciende un cigarro mientras los demás apuramos la comida. A juzgar por su actitud desafiante, el mentón erguido y las manos estiradas sobre la mesa, se diría que con el humo del tabaco también está aspirando los reproches silenciosos de su mujer y sus dos hijas, cuyo incisivo masticar les resaltan los pómulos más de lo normal, para luego expulsarlo sobre la mesa.

Aprovechando que mamá está distraída juzgando al abuelo, Teresa se levanta. Ha dejado el móvil encima de la mesa, así que lo más seguro es que vaya al cuarto de baño: sentada en la taza del váter no tiene a nadie a quien ignorar o desairar.

Justo cuando todos hemos terminado el segundo plato —aplastada la colilla en el cenicero, el abuelo carraspea—, escucho el ruido de la cisterna colarse por la puerta del baño cuando esta se abre. Un resoplido se aleja del salón con papá, que intercepta a mi hermana en el pasillo. La pelea entre dos sombras retorciéndose en la oscuridad llama la atención de mamá, que gira la cabeza esperando encontrarse con el apoyo que buscaba minutos antes.

El abuelo se enciende otro cigarro. Negro. Gonzalo se enciende uno rubio.

—¿Desde cuándo fuma tu hijo?

La pregunta del abuelo va dirigida a la tía Laura. Desafiante, Gonzalo mantiene en alto el cigarrillo, del que se eleva un humo que ondea sobre su cabeza como una bandera.

—No sé, desde los diecisiete creo —responde la tía restando importancia a los hábitos de su hijo; un momento de duda y añade—: El ejemplo lo tiene en casa.

De las peludas fosas nasales del abuelo emanan dos hilos de humo que le hacen parecer un toro embravecido. La abuela disimula una sonrisa tapándose la boca con su servilleta y, al darse cuenta de que la he pillado, trata de ponerse seria, pero el esfuerzo provoca el efecto contrario y empiezan a llorarle los ojos de aguantar una carcajada.

—No todo lo ha aprendido de esta familia —ataca el abuelo.

Donde duele.

—¿Quién quiere postre? —interviene mamá, oportuna.

Sin molestarse en responder, la abuela se levanta y se pierde en la cocina. Cuando vuelve lo hace con una pequeña bandeja de tarta helada que deja delante de Gonzalo, al que da un beso en el cogote que él devuelve en forma de abrazo. Papá y Teresa vuelven a sentarse, los dos con cara de haber forcejeado con su orgullo. Si discutieron, lo hicieron con el suficiente disimulo para que no se escuchara en el salón. Esto es una novedad.

Complacida, mamá se relame con el último bocado. De repente le encanta el pescado al horno. Estaba delicioso, anuncia. Y cuando se levanta para recoger lo hace de mejor ánimo. Ni siquiera se enfada porque Teresa —que se guarda el móvil en el bolso para cruzarse de brazos— vuelva a quedarse con el culo pegado a la silla sin la menor intención de hacer una digestión agradable, ni de hacérnosla más fácil a los demás. La tía Laura también se incorpora a la faena; con una leve caricia en el hombro, indica a la abuela que se esté quieta. No opone resistencia y ahí se queda, tan contenta, paladeando el vino tinto con el que ha vuelto a llenarse la copa.

Entonces soy yo el que se levanta, lo que provoca la alarma del abuelo, que me mira como si me hubiese bajado los pantalones para servir mis pelotas de postre.

—Voy al baño.

Todos los hombres del mundo vuelven a subirse los pantalones.

Paso delante de la cocina, cuya puerta está entreabierta, lo suficiente para ver a mamá sacando de la nevera los diferentes postres sin dejar de prestar atención a lo que le está contando la tía Laura, apoyada en la encimera con los hombros caídos. No me detengo a poner la oreja porque sería muy descarado; solo distingo el nombre de Gonzalo y el de su padre.

Nadie sabe por qué el tío Ernesto no ha venido, aunque todos lo imaginamos. Seguramente mamá se esté enterando en este mismo momento.

Entro en el baño y echo el cerrojo. De pronto me siento

más tranquilo. Meo, tiro de la cisterna; me lavo las manos y me miro en el espejo. Me siento raro. El primo no tiene ningún problema en ayudar a recoger la mesa, la desaprobación del abuelo le trae sin cuidado. Y yo, en cambio, me cago de miedo cada vez que quiero levantarme para mear. No quiero que piensen lo que no es. Pero me siento como una mierda cada vez que Gonzalo se levanta y yo me quedo sentado. Todavía frente al espejo saco del bolsillo de mi pantalón un cigarrillo deforme que me lié antes de salir de casa. Lo recompongo como puedo y me lo coloco entre los labios, que aprieto para aspirar la primera calada al encenderlo. El humo emborrona mi reflejo, donde solo se distinguen las venitas rojas que invaden el blanco de mis ojos. Me duele un montón la cabeza.

Estoy cansado.

Mamá me grita para avisarme de que el postre ya está servido, así que vuelvo al comedor, las manos limpias y la vejiga vacía. Y la colilla guardada en el mismo bolsillo de donde saqué el cigarrillo entero.

Cuando me siento lo primero que hago es dejar el mechero encima de la pitillera del abuelo, esperando que no se haya dado cuenta de que se lo había cogido. Y que mi olor a tabaco, mucho más suave y aromático que el suyo, se confunda con el de Gonzalo. Me froto los ojos, y cuando los abro me encuentro una manzana pelada y partida donde antes había un pedazo de tarta helada.

—Come algo sano para variar —me suelta papá. Mi postre está en su plato, donde lo mantiene como rehén. Me mira de reojo, pero prefiero ignorarlo. Y eso es lo que hago:

—Y tú, primo, ¿qué tal de ligues?

Alguien deja caer sus cubiertos de postre en el plato;

otros se quedan paralizados en el reducido espacio que los separa. Solo mi hermana es inmune a la violencia que generan los temas tabú, al fin y al cabo ella es uno, y mientras el resto se comporta como si una ola de frío polar los hubiera congelado, Gonzalo se retoca el tupé como si una refrescante brisa primaveral le estuviese acariciando la melena.

—¿Qué tal el último año de carrera? —añado yo antes de que el primo tenga la audacia de responder con sinceridad a mi primera pregunta, algo de lo que todos le creemos capaz.

Muy bien, afirma entusiasmado. Está deseando probar algo diferente a la universidad, aunque sabe que echará de menos la sensación de protección que hasta ahora le proporcionaba formar parte de una institución.

—Seguro.

El abuelo acomete su plato de postre para partir su tarta en dos pedazos. Se lleva a la boca uno, el más grande, lo tritura con la dentadura postiza y se lo traga sin apenas saborearlo. Y deja la otra mitad sin tocar. De nuevo el ritual del cigarro, la carraspera y todos en pie. Mamá se lleva el plato del abuelo con el suyo y el de la abuela debajo; la tía Laura, la fuente de frutas y alguna copa vacía; y Gonzalo, su plato y el de Teresa, que recupera su móvil del bolso. Unos entran y otros salen, y mientras la abuela se deleita con el vino y el abuelo mira al frente con su cigarro colgando de la comisura de sus labios, papá espera a que le toque el turno de retirada a su plato y sus cubiertos.

Quiero fumar, pero como no puedo me limito a aspirar con disimulo el humo que sobrevuela la cabeza del abuelo. Veo cómo Gonzalo va y viene, sonriente y voluntarioso, manteniendo con la tía y con mamá una conversación intermitente, que se interrumpe cada vez que uno de ellos se separa y se reanuda cuando al menos dos coinciden en el mismo punto del recorrido. Mueve el culo igual que una chica de mi curro —cuando una nalga sube, la otra baja, y solo se coordinan al moverse de izquierda a derecha—, sin importarle lo más mínimo que esa forma de caminar le ponga al abuelo la piel de gallina.

Para gallina, yo. Con una mano cojo mi plato. Un ligero temblor hace tintinear el cuchillo, atrapado entre la monda de manzana retorcida, y vuelvo a dejarlo todo en la mesa. Me sudan las piernas, me pican las rodillas; las estiro debajo de la mesa hasta rozar las pantorrillas de la abuela, que me mira risueña.

—Perdona, abuela.

—No te preocupes, cariño.

Y se sirve más vino.

Vuelvo a levantar el plato, ahora con las dos manos. Lo mantengo agarrado a una altura lo suficientemente escasa como para que parezca que sigue posado encima de la mesa. Tomo impulso. El abuelo apaga el cigarro en el cenicero, colocado justo a mi lado, y no tarda en darse cuenta de lo tenso que estoy. Me mira con el ceño fruncido, se pregunta algo. Enseguida encuentra la respuesta que buscaba —y que tanto temía—, y antes de que yo pueda hacer otra cosa, aprieta con fuerza la mandíbula y entre dientes me dice:

—No te levantes.

Nació en Alicante en 1962 y actualmente reside en la localidad alicantina de Jijona. Ha publicado cuatro libros de poemas: *El animal favorito*, *Los límites de un cuerpo*, *El colgado* y *Polvo eres*, además de una *plaquette*, *Los poetas viejos*. Desde 1980, y durante casi 30 años, ha vivido en Madrid, donde, tras licenciarse en Sociología, ha trabajado como consultor en el

Luis Cremades

área de organización y recursos humanos. Ha publicado textos técnicos y traducciones literarias, además de colaborar en diferentes revistas, culturales y de actualidad. También ha sido profesor de la ya desaparecida Escuela de Letras. En 2014 ha publicado un relato biográfico a dos voces, *El invitado amargo*, con Vicente Molina Foix.

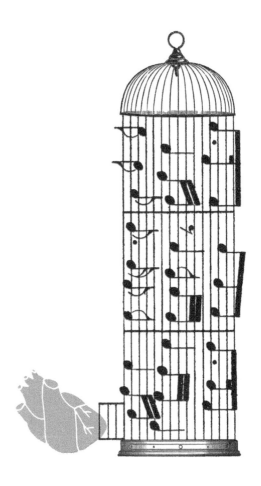

Manos mágicas

Mi novio es el director del coro de la iglesia. Yo soy hombre, igual que él. Dos hombres que tienen relaciones sexuales. Ustedes se preguntarán si eso no trae problemas. Desde luego, algunas complicaciones sí tiene, como que tengamos que hacerlo todo en secreto; aunque eso no está tan mal, las cosas privadas son privadas y ya está. Nunca me ha gustado la gente que va chuleando de cómo se lo monta en la cama y tanto rollo que luego es mentira. Pero si he de ser sincero, el que se lleva la peor parte es él, que cree en Dios y esas historias, y está preocupado por si tendrá que pasar mucho rato en el Infierno. El otro problema es que a mí Dios me da igual, así que de ese tema nunca hablamos. Entonces, ¿qué nos une? Bueno, a mí me gusta la música y a él también, por eso dirige el coro. Además, no es un cursi, sino un director de coro moderno, con vaqueros y un jersey gris de lana buena que se pone en invierno mientras ensayan el *Adeste Fideles* y otras canciones de Navidad. Me gusta que lleve ese jersey cuando le tengo abrazado, es de lana muy suave, de alguna marca cara. Me recuerda a mi madre abrigándome en el sofá delante de la tele, y a mi perra. En casa tenemos una perra de aguas, una bola de pelo con patas, se llama Lina. Todo el coro tendría que morirse por tocarle al verlo tan guapo y tan suave y calentito con ese jersey que dan ganas de no soltarle nunca. No sé cómo pueden contenerse y no echarse encima y pedirle un beso, como hago yo cuando estamos en casa. Debe ser por la música, se concentran mucho en lo que cantan. Cantar es agradable, es como hacer deporte o ir de excursión a una playa, o mejor, como hacer algo en la cama, algo sexual, o jugar en el pasillo y terminar besándonos de pie delante de la cocina, en silencio y con el vídeo apagado. Una vez nos vieron los vecinos por la ventana del patio interior. No dijeron nada. Pero yo prefiero no contar a mucha gente lo de que somos novios. Y menos a los del coro, que se pondrían verdes de envidia y de celos.

Mi novio es guapo, como un cura guapo pero sin esa mirada repelente que tienen los curas de querer convertir a todo el mundo. O convertirles o excomulgarles. Tiene una mirada dulce como si fuera tímido, aunque no lo es. Yo sé lo que le pasa: es la música, le gusta y eso es algo que se lleva dentro. Las canciones son solo una manera de decir cosas importantes; él sabe de estas cosas y por eso me gusta.

Aún no he dicho que se llama Freddy, y yo Ronnie. En realidad son nombres falsos, como es de suponer. Es para guardar el secreto y que no nos señalen por la calle, o a él en la iglesia. Imagínense el número, como si no tuvieran de qué murmurar durante la misa. No hacen otra cosa, hasta rezan que parece que están murmurando. Por eso pongo nombres falsos, porque perfectamente podría llamarse Jose y yo Javi; o Julio y Jaime. Aunque prefiero Freddy y Ronnie, quedan más simpáticos.

Otra cosa que no he contado es lo de la edad. Ni falta que hace, no hay problema porque somos mayores de edad. Lo que pase entre nosotros es legal, está permitido. Pero mejor no dar datos. Como desaparecía de casa, mi padre contrató a un detective y a punto estuvo de reventarse toda la historia, aunque fuese legal. Menos mal que me di cuenta, solo por una tontería. Freddy no había llegado a casa y entré en un bar para hacer tiempo. Pedí una Coca-Cola y me fijé en un tipo que se me quedaba mirando desde fuera, con el frío que hacía. Pensé que quería ligar. No es por presumir, pero no estoy nada mal, en eso Freddy tiene suerte conmigo. Total, que pagué la Coca y salí a decirle algo, cualquier cosa, ya se me ocurriría. No pensaba ir a la cama, solo hablar un rato, no hacía daño a nadie. Pero el tío se puso nervioso y salió zumbando. Debía de ser detective novato, porque si no, no se explica que huyera así. Después mi padre supo que yo andaba por ese barrio. Está claro que era detective; hubiera sido gracioso leer el informe. Pero no se enteró de lo de Freddy, ni de dónde vivía exactamente. Fue una suerte. Por eso es mejor guardar secreto y dar nombres falsos.

Y entonces, por qué cuento esta historia, porque podría callármelo todo y en paz. Muy sencillo, porque no es tan normal. Lo normal es ir con chicas. Y si te lo haces con uno como tú, pues no repetir, no quererle. Lo mío con Freddy es especial, estoy seguro, y por eso lo cuento.

Querrán saber lo que hacemos en la cama. Digo lo de la cama para no ofender porque lo hacemos donde nos pilla; y no por necesidad, porque no podamos aguantarnos. Es una manera especial de ser romántico. Freddy es un sentimental y sé que le gustan esas cosas, ir dejando recuerdos por los rincones. «Aquí lo hicimos la semana pasada, ¿te acuerdas?». «Y aquí a la vuelta del cine, el día que yo estaba borracho». No lo dice pero me doy cuenta de que lo piensa. Desde que nos conocemos me he hecho un romántico como él, aunque no me den ganas de llorar ni de sufrir ni nada de eso.

Es raro contar lo que hace uno en la cama; aunque más raro debe ser leerlo o escucharlo. De todas formas son cosas que a la gente le importa, y mucho. A mi madre, por ejemplo. Yo no le he contado nada, ni quiero que se entere. Igual se enfada, igual no. Pero de todas formas, seguro que diez minutos después se acerca y me pregunta con una voz distinta, muy dulce: «Entonces, hijo, cuéntame: ¿os besáis en la boca?», como si quisiera estar delante y probarlo. Todo el mundo se parece un poco a ella, por eso pienso que les puede interesar.

Ya que estoy con mi madre, tengo que decir que, a veces, cuando Freddy me lo hace, pienso en ella y me la imagino en mi lugar, con Freddy dentro. No puedo evitarlo, creo que le gustaría estar con un hombre tan genial como Freddy en vez de con papá, que siempre va a lo suyo, nunca se entera de nada y ni nos hace caso, excepto para contratar a aquel detective privado. Miro a Freddy cuando jadea y me mira y pienso que tengo suerte, seguro que lo hace mucho mejor que papá. No quisiera que mamá tuviese envidia; al fin y al cabo, estas cosas me hacen entenderla mejor. En cambio, cuando yo se lo hago a Freddy, él se queda sin pensar en nada. Primero abre los ojos como platos porque al principio duele, y yo me muerdo el labio de abajo para que sepa cuánto me gusta. Pero después los cierra y me acaricia despacio, sus manos siguen una melodía silenciosa, como cuando dirige el coro. No piensa en nada. Se olvida de sus pecados. Soy yo el que se ha metido dentro, como un conquistador, él se deja llevar, ya no dirige, solo siente y, si me lo propongo, le hago temblar de emoción.

Ese es mi Freddy.

No crean que no cambiamos estando juntos. Una vez Freddy se enfureció con un artículo de un psiquiatra famoso. Decía que los homosexuales son como un hombre y una mujer, pero falsos. Y que uno daba grititos y lloraba cada dos por tres y hasta andaría desmayándose por las aceras, y el otro era como Dios de machote y vestido todo de cuero y con cadenas o algo peor. Se enfureció y me parece bien porque no es verdad. Él no es un tigre precisamente sino un romántico, ya lo he dicho, pero conmigo parece más salvaje, más auténtico. Parecemos dos tigres; no un tigre y la ratita presumida como decía el psiquiatra famoso del periódico (era en la revistilla del domingo).

Y además de parecer dos tigres, ¿qué hacen dos hombres en la cama? Pues de todo, supongo. Yo no veo diferencia con las películas normales donde salen mujeres. Es decir, hacemos de todo pero somos dos hombres, esa es la diferencia. Nos mordemos, nos revolcamos, nos reímos, Freddy me abraza fuerte como si fuera un oso. Y yo le digo: «Eh, que me ahogas». Le gusta creerse un oso pero no le sale, no es tan fuerte; más bien parece un gatazo porque es ágil, o un tigre; ya digo, un romántico.

Me gusta despeinarle y besarle. En la boca, desde luego. Y también en el cuello, donde le pille. A veces dice que es mi novia de siempre y se pone en la cama como una chica, muy tierno, y dice a todo que sí. Otras veces en cambio hace de macho, de animal salvaje. Hacemos teatro, como dos grandes actores, y luego nos reímos. Aunque a mí todavía no me sale hacer de chica, me falta práctica. Intento recostarme en la cama como una señorita, un poco de lado, un poco tonta, pero hago el ridículo, aunque voy mejorando.

El domingo pasado Freddy se rio mucho cuando le abracé el cuello y le dije en francés que le quería: «*Je t'aime*», le dije. Y se quedó loco. Me quiere, lo sé, aunque ande a vueltas con sus pecados y sus remordimientos de las confesiones.

Tiene dos ojazos como dos lagos. Y la otra noche más, cuando me miraba y cantaba bajito una misa del ensayo como si fuera un poema que hablase de nosotros. La última noche siempre es la mejor. En casa dije que me iba a la sierra, de acampada con los amigos. Y llegué a su apartamento con la mochila y la tortilla de patatas, la cantimplora y un paquete de galletas. Abrió la puerta y me miró; no dijo nada, tiene ratos en los que no dice nada. Y más tarde, antes de dormir, fui al baño a lavarme los dientes y él me estaba esperando junto a la puerta, con camiseta y calzoncillos, muy guapo. Freddy en camiseta es distinto. Una camiseta muy fina y una piel muy fina. En ese momento no pensaba en los pecados, estoy seguro. Había apagado las luces. Entraba solo el reflejo de unas farolas azules desde la calle. Me quedé mirándole esperando a ver qué hacía con esa sonrisa de pillo. Algo estaba preparando.

Se acercó, tomó aire y sacó pecho, y con el pecho fue empujándome despacito hasta la ducha. Dijo algo, un gruñido que me excitó mucho pero que no entendí. Y abrió de golpe los dos grifos. Menos mal que tuve tiempo de quitarme los zapatos. Cayó sobre nosotros una tormenta de agua —fría, caliente, después templada— que empañó el espejo del lavabo y que inundó el cuarto de baño con una formidable nube de vapor. Una nube de niebla tibia que tenía la música de un temporal chocando contra el fondo de la bañera, empapándonos completamente; y la música de la respiración fuerte de Freddy cogiéndome las dos manos debajo del agua. La ropa mojada se nos había pegado al cuerpo haciendo dibujos. Yo jugaba con las burbujas de aire que quedaban debajo de su camiseta. Él no se movía. Me dio un beso en los labios muy tímido. Se puso de rodillas. Y se quedó así, con la cabeza agachada y las manos en alto, sin soltar las mías. Al principio me daba mordisquitos en el pantalón, tirando hacia abajo para quitármelos. Después nada, se quedó quieto, mirando hacia abajo, hacia sí mismo, como rezando en un banco al fondo de la iglesia. Ya no se podía oír cómo respiraba. El ruido del agua era fuerte y no queríamos decir nada.

El día que nos conocimos en el coro de la iglesia tampoco dijimos nada. Aquella mañana se presentaba horrible por todo. Nunca voy a misa, desde hace años, desde que tengo uso de razón. Pero mi primo Mauro hacía su primera comunión y no podía escaparme. Una docena de enanos disfrazados dando guerra, los besos babosos de mis tías. ¿Para qué contar? No tenía ninguna excusa que sirviera. De siempre he sido un tipo sano y deportista; caer enfermo de repente hubiera levantado sospechas. Además, ¿qué importaba? Siempre podía darme una vuelta y hacer un poco de vidilla cultural, como los turistas extranjeros que van a lo suyo y ni siquiera hacen una genuflexión cuando cruzan por el pasillo central, delante del altar. Yo no llego a tanto, a esos desplantes, no me gusta llamar la atención.

Me sorprendió que cantase un coro de verdad. Tenía entendido que ponían una casete y a correr. Me gustan las misas con coros de negros cantando espirituales y todo eso. Pero nunca he visto una. El coro estaba en el piso de arriba, colgado encima de la puerta principal. Subí a ver cómo cantaban. Eran gente joven, más de la mitad chicas, y dos señoras mayores que no lo hacían nada mal: un toque técnico. Freddy estaba delante, con los ojos medio cerrados, concentrándose; las dos manos muy blancas se movían solas en el aire, como las de un mago. *Manos mágicas.* Antes había un programa en la tele con ese nombre. Y cuando tenía que dar entrada a una voz distinta se ponía firme, parecía un capitán del ejército; un poco artista, un poco militar. Me quedé mirándole. Aún no sabía que me gustaba. Era gracioso, simplemente. Y me quedé mirándole.

Terminó la canción y fue a sentarse, con la cabeza baja, casi metida entre las rodillas. Yo me distraje viendo lo que hacía el cura. Decía que las almas puras de los chavales que hacen la comunión son blancas como las flores de los almendros. Se le tomaba la voz al decirlo; se notaba que lo vivía. Freddy se levantó y vino hacia la puerta del coro donde yo estaba apoyado. «¿Buscas a alguien?», dijo. «No», contesté. Y nos quedamos callados, sin decir nada (como muchas veces después). Volvió al coro y cantaron otra más alegre, una adaptación moderna. Al terminar se acercó otra vez. «¿Te gusta la música?», preguntó. Parecía muy ceremonioso, entonaba con la iglesia y todo el rollo del día aquel. Le miré. «Es lo mejor de este sitio», dije. Estuve un poco pedante, lo sé. Quería parecer mayor. No quería que pensara que yo era un niñato más de la fiesta. Él sonrió y se puso superior, sabe cómo hacerlo. «Eres un metafísico», dijo. Me tocó el hombro con la mano y volvió al coro hasta el final.

No sabía lo que era un metafísico. Seguro que algo importante, como Aristóteles o más. Me sonaba de clase de Filosofía. Pero no estaba para pensar en ese momento. Me hizo gracia porque creí que se estaba quedando conmigo, eso es todo. Al marcharse pasó a mi lado y me metió en la mano un papelito con su teléfono. «Llámame si quieres —ponía— y escuchamos música». Ahora me voy dando cuenta de lo que intentaba decir con lo de metafísico, aunque no pueda explicarlo. En realidad no es que sea importante, ni tiene mucho que ver con Aristóteles. Es algo que se lleva dentro. Debo de ser un metafísico inconsciente y seguramente por eso estoy con Freddy.

De vuelta a casa metí la cabeza entre los bafles. Así escucho música: tumbado boca abajo, con un bafle en cada oreja y el ampli a todo volumen en la punta de la nariz. Suelo tener las letras delante para que mi madre crea que estudio inglés. Busqué un disco fuerte. Quería perderme y olvidarme de todo, de la ceremonia, de la fiesta y del tío que me había dejado su teléfono. «Llámame y escuchamos música». ¡Qué idiota! La música es para uno solo. Lo que sientes en ese momento no puedes decírselo a nadie. Es la triste verdad. ¿Para qué vas a juntarte? Se empieza así y se termina luciendo un traje ridículo en una función de ópera. Para entonces la música ya da igual. A pesar de todo, guardé el teléfono con cuidado, como si fuese un amuleto de la suerte. «No sabe que la música no se puede escuchar con nadie», pensaba. Después me dormí.

Al día siguiente le llamé por teléfono. Desde una cabina en la calle para no levantar sospechas. A mi lado, unos *rockers* con cara de crío estaban meando contra la pared de un cine. La conversación con Freddy, entre los gritos y las risas de los chavales, el ruido de la cabina tragándose los duros y demás, no podía ser muy romántica. Pero quedamos para vernos ese mismo día. Corrí a casa y le dije a mi madre que me iba al cine y volvería tarde. Me metí en el bolsillo una cinta antigua de Frankie Laine. Era una cinta rara: vieja y marchosa, una cinta fuerte. Pensé que le gustaría. Quería marcarme un detalle, por lo menos la primera vez.

Freddy vive en un apartamento pequeño, pero con un aparato de música que tira de espaldas; de morirse de grande y de bonito, y de lo bien que suena. Te tumbas delante y parece que tienes el piano ahí mismo, que estás debajo del piano, como un idiota entre las piernas del pianista. Casi no tiene nada más. Unas cajas de cartón con libros, la mesa de comer bajo una lámpara de plástico con forma de pirámide, un poco moderna, y el colchón en el suelo. Por no tener, ni siquiera tiene cortinilla en la ducha; y yo me tengo que poner de rodillas para ducharme, como una *geisha* (esto lo vi en una película sobre *geishas* y me hizo gracia). Claro que el día de la tormenta en la bañera —por sorpresa, los dos juntos— no íbamos a preocuparnos de nada. Lo dejamos todo perdido, aunque mereció la pena.

Frankie Laine le gustó. Al menos, eso dijo, porque no quiso escucharlo. Nos sentamos en el sofá y me puso una cinta suya con música de piano. Una música particular, con una historia que Freddy me contó enseguida: un señor alemán de hace mucho tiempo estaba muy enfermo y no podía ni levantarse de la cama ni dormir por las noches; tenía un amigo que se quedaba a cuidarle. Pero entre la enfermedad y lo largas que eran las noches sufrían los dos. En la habitación de al lado había un piano, en realidad un clavicémbalo, así que se les ocurrió encargarle a un músico conocido que escribiera algo para pasar mejor las noches, para distraerse. El amigo tocando y el enfermo escuchando. Y el músico recordó una cancioncilla que había escrito para su mujer o su hija en un cuaderno y compuso treinta arreglos, treinta variaciones para distraer al enfermo y al amigo que le cuidaba, que así podría ensayar aquella música, como una conversación larga pero sin palabras. Muchos años después, ya en la época de Frankie Laine, un músico jovencito, de mi edad más o menos, tocó esa música como si fuese una cosa distinta, como una meditación. Sería lo mismo si yo hiciese arte con los ejercicios de clase. Desde luego esa cinta tenía un puntito, qué sé yo, magnetismo. No puedes escaparte, dejar de oírla. Al pianista se le oye cantar por debajo que parece que lo que toca son sus propios latidos. Como si se hubiera metido dentro de la música y no quisiera volver al mundo de los demás, que nos quedamos bobos escuchando.

Tres veces seguidas pusimos la misma cinta. Las treinta variaciones y la cancioncilla que suena al principio y se repite para terminar. La primera vez los dos sentados en el sofá, quietos, como dos señores. Yo no entendía nada. Sentía algo especial, pero no sabía bien qué era. Freddy me miraba. «¿Tienes miedo?», hubiese querido preguntarle pero no me atreví. Esa música no me dejaba hablar. La segunda vez bailamos toda la pieza seguida, juntos, abrazados como si fuera un bolero. Y también separados, mirándonos, cada uno en una esquina, haciendo como que tocábamos el piano, estirándonos el pelo para desordenarlo y parecer directores de orquesta de verdad. Nos arrastraba un oleaje fuerte y nos dejábamos llevar, como buceadores buscando un tesoro perdido. La tercera vez —y no me pregunten cómo lo hice o en qué momento— yo me había quitado la camisa y estábamos los dos abrazados. Quería que Freddy me tocara; creía —no sé por qué— que Freddy quería tocarme y quería que lo hiciese si él quería. Algo así.

Primero de pie, después nos dejamos llevar al colchón. Yo respiraba muy cerca de su oreja para darle calor, un calor especial, y le di un beso que no podía aguantarme, aunque tampoco intenté aguantarme. Un beso que no se oyó, el beso más silencioso del mundo.

Así empezó todo. Esa música solamente la escucho con él. Es la única cinta que me gusta y que no quiero grabar. La única cinta que no quiero oír solo.

Aunque no todo ha sido igual de bonito. La vida es así. Detrás de una tarde preciosa te espera un disgusto. Freddy y yo hemos tenido que aprender muchas cosas. A callarnos a tiempo, por ejemplo. Estar en silencio no es tan terrible. Freddy siempre dice que el silencio es parte de la música, que está dentro, que es más difícil hacer bien un silencio que dar una nota. Y también que la música buena se crece después, cuando termina. Entonces te das cuenta si se te ha quedado dentro.

No hablamos mucho por lo general, al menos cuando estamos juntos. O no decimos cosas importantes. Si queremos decir algo importante nos miramos, nos tocamos, ponemos música. Pero no hablamos. Y casi es mejor: una vez lo intentamos y fue un desastre. Me presenté en casa y le encontré alterado, sentado en el suelo, sin dejar de refunfuñar entre dientes. «Esto no puede ser», decía. «Mierda», decía. «No puedo seguir así». Me acerqué para consolarle, intenté abrazarle y darle un beso. Pero se apartó, pegando la espalda a la pared defendiéndose como gato panza arriba. «¿Te das cuenta? —me dijo—. Es la tentación». Y casi llorando y mirando hacia el techo: «¿Por qué esta condena?». Estaba trastornado. Luego supe que había estado en la iglesia confesándose. Eso le había trastornado.

Estuvo delirando toda la tarde, como un enfermo con fiebre. Decía estupideces: que todo era horrible y el cuerpo de las personas una cárcel, y que su propio cuerpo era horrible (y eso que no está nada mal). Y lo peor: que quería matarse para no verme nunca más, que yo tenía la culpa de todo.

No sé cómo me contuve. Me levanté de un salto; estaba furioso y necesitaba tranquilizarme. Fui a la cocina y abrí una cerveza. Volví y estallé, grité como un animal, que me daba igual el Infierno y el diablo y todo lo demás, que yo no tenía alma, ni buena ni mala, que solo tenía cuerpo y que si le gustaba bien y si no que no me amargase, que me dejase en paz, que me daba igual (esto no era verdad, lo dije para que saltase). Y además que era un mierda y un baboso. «Hijodeputa», le dije también, pero a media voz, para no herirle demasiado. Entonces no pudo aguantarse y se echó a llorar. «Mierda, mierda», repetía, de rodillas en el suelo y con la cara escondida entre las manos. Me senté a su lado sin decir nada. Está claro: lo mejor es no decir nada. Así es como de verdad se entienden las personas. El cura en el confesionario no había hecho más que hablar y hablar y no entenderle y estropearlo todo. Dejó a Freddy hecho polvo.

Si algo sale mal en esta historia la culpa la tendrá Dios. A veces pienso que todo iría mejor si no existiese, si no hubiese existido nunca. Por lo menos podía haber tenido la delicadeza de no meterse en nuestras vidas. Bastante tenemos con nuestros padres y nuestros problemas para que alguien de fuera nos cuente a quién podemos querer y a quién no y de qué manera podemos hacerlo. Me cabrean los entrometidos, me ponen furioso. No hay derecho a que Freddy tenga que llorar por eso. Me gustaría que no tuviese miedo de nada, ni siquiera del Infierno. Está conmigo que soy de verdad, tan de verdad como Dios y el demonio juntos. Yo le protejo.

De todas maneras, desde que conozco a Freddy soy una persona distinta. Voy cantando por la calle en medio de la gente, y si llueve no me escondo, levanto los brazos y me gusta mojarme. Voy descalzo por casa, desobedezco a mis padres, como antes, es verdad, pero sin cabrearme, les hago una sonrisa y me perdonan, yo creo que les da igual, me ven contento. Deben pensar que me estoy haciendo mayor y tengo mi vida privada. Y cuando estoy con él... bueno, cuando estoy con él lo demás no importa. Ni que se me pase la hora de volver a casa ni nada. Es como estar bailando juntos, diciéndolo todo sin decirlo, y sentirte fuerte, como para seguir así toda la eternidad. Freddy y la eternidad. Me hace gracia pensar así, como un filósofo (un metafísico diría él). Freddy y la eternidad. Llenaría todas las paredes desde mi casa hasta la suya con ese cartel. La eternidad es eso, aunque no dure. Aunque un buen día Freddy se meta a cura y no volvamos a vernos jamás. La eternidad es que nos hemos conocido y eso deja huella. Una historia así no se olvida aunque se olvide, porque te cambia, te hace distinto. Eso es todo.

Nació en 1950 en Barcelona, ciudad donde reside. Es profesor universitario especializado en literatura francesa y traductor literario del francés al castellano y al catalán. Como novelista, ha publicado, entre otros títulos: *El juego del mentiroso* (1995), que

Lluís Maria Todó

en su versión catalana (*El joc del mentider*, 1994) quedó finalista del Premi Sant Jordi en 1993, *Isaac y las dudas* (2005), *Doce Fábulas* (2007) y *El mal francés* (2006), que en su versión catalana (*El mal francès*) ganó el Premi Josep Pla 2006.

Fábula del mirar opaco

La atención concentradísima con que Santi miraba las piernas de David no se prolongó en una conclusión lógica que pudiera darle alguna información sobre sí mismo hasta muchos años más tarde.

En 1964, cuando Santi tenía catorce años, ni la fascinación por los muslos y pantorrillas del nuevo jefe *scout*, David Marquès, ni el interés con que determinaba cuáles entre sus amigos ya habían alcanzado la pubertad y cuáles, como él mismo, seguían siendo físicamente casi unos niños, consiguió taladrar la esfera que protegía su raciocinio y cuajar en una articulación lógica que pudiera explicarle lo que no quería oír: que aquella atención concentrada tenía un nombre, que ese nombre era deseo y que aquel deseo podía convertirlo en miembro de un grupo que era objeto de marginación, burla y desprecio.

David Marquès, el de las hermosas piernas, era el jefe de la recién fundada tropa de *rangers* que se había creado cuando los miembros del grupo de *boy-scouts* al que pertenecía Santi Arnau superaron la edad reglamentaria y pasaron de lobeznos a *rangers*. En consecuencia, sus jefes ya no serían chicas, sino chicos, y Santi, tampoco en este caso, se paró a analizar ni nombrar la inquietud que le provocó la espera del nuevo jefe de nuevo género, ni el sobresalto que tuvo al ver por primera vez a David, un joven atlético y de rostro atractivo que fue presentado una tarde de sábado del mes de abril en el jardín de los Arnau, los padres de Santi.

La selección no había sido fácil: los educadores de aquellos *scouts* recién salidos de la niñez sabían que el elegido debía reunir unas virtudes morales intachables, pues tendría a su cargo nada menos que la formación de un grupo de adolescentes, y la adolescencia es generalmente considerada una edad muy peligrosa. Así, cuando se hablaba de ella nunca se dejaba de evocar la fábula del árbol que cuando es joven puede torcerse a un lado o a otro según de dónde recibe la luz, pero cuando es adulto ya nadie puede corregir su torsión. En cuanto a lo físico, debía ser alguien capacitado para emprender largas caminatas, conquistar altas cumbres y soportar la vida espartana de los campamentos.

La decisión se tomó en una reunión celebrada en el salón de los Arnau. Toni Arnau, el padre de Santi, había heredado una empresa de maquinaria que le permitía vivir con holgura, y una amplia casa de tres plantas construida en los años treinta entre el parque Güell y la plaza Sanllehy, que contaba con un extenso jardín y un semisótano para las habitaciones del servicio. En la época en que se desarrolla este relato, dicha planta albergaba, entre otras cosas, la habitación de Carmen, la asistenta, y una gran sala de juegos, con su mesa de *ping-pong*, en la que Santi hacía los deberes, leía y se aburría, y donde los *boy-scouts* celebraban sus actividades, clandestinas aunque toleradas.

A la citada reunión asistieron, además del dueño de la casa, el consiliario de los *scouts*, mosén Costa, Montse Font, la *akela* o jefa de los lobatos, y Jaume Caralt, presidente de la Agrupación de Boy Scouts Sant Pau.

—El chico parece fuerte y sano —explicó Toni Arnau, y en las mentes de Montse Font y de mosén Costa apareció un joven muy hermoso, más velludo y arrabalero en la fantasía del mosén, más germánico y gentil en la de Montse. Ambos, simultáneamente, estiraron el brazo hacia la mesita para alcanzar su taza de café. Se miraron y sonrieron de la coincidencia gestual.

—En cuanto al aspecto moral —prosiguió Arnau—, lleva varios años trabajando en casa y el jefe de taller me ha dicho que es un chico muy puntual y cumplidor.

Los asistentes a la reunión no necesitaban saber más, y un poco hartos ya de provisionalidad y desconciertos, aceptaron unánimemente a David Marquès como jefe de la tropa de *rangers* de la Agrupación Sant Pau.

Una semana después tuvo lugar su presentación pública en la parte trasera del jardín de los Arnau, en una zona que no era visible desde la calle, pues la ceremonia comportaba el despliegue de insignias y banderas *scouts*, la solemne imposición de los galones de mando a David, así como la interpretación de varios himnos. La prudencia aconsejaba mantener aquel ritual lejos de testigos indiscretos y quién sabía si hostiles o hasta delatores.

Aquella tarde, en el momento en que finalmente David Marquès, con su pantalón corto y la camisa marrón arremangada, fue investido con los galones de jefe de *rangers*, Santi pensó embobado que aquel muchacho se parecía mucho al personaje dibujado en el manual *scout* que tanto le había distraído en muchas tardes aburridas. Admiró sin reservas ni elaboraciones morales la fuerte mandíbula, la dentadura magnífica, las rodillas musculosas, las pantorrillas recias, y su conciencia ejecutó la prodigiosa pirueta de no convertir aquella admiración en nada reprensible, ni siquiera nombrable.

Después de la ceremonia, los señores Arnau, anfitriones del acto, ofrecieron a los asistentes un pequeño refrigerio consistente en chocolate a la taza, ensaimadas y refrescos. Los padres de Santi le habían pedido que les ayudara en la recepción, y cuando este entró en la sala que daba al jardín para coger una de las bandejas preparadas sobre la mesa de *ping-pong*, sorprendió a Carmen, que estaba mirando por la ventana.

—¿Ese es vuestro nuevo jefe? —preguntó, y a Santi, aquella familiaridad, a la que estaba acostumbrado y que le había procurado largas horas de compañía y conversación agradable, de repente le incomodó.

—Sí, ¿por qué? —respondió secamente, adoptando su nuevo papel de *ranger* casi adolescente.

—A ese yo le conozco. Algunos domingos estaba en el Cibeles sacando a bailar a las chicas. Todas decían que era un tío peligroso, el típico caradura que como es tan guapo se las lleva al huerto y luego si te he visto no me acuerdo. Conmigo lo intentó, pero no consiguió nada.

—Seguro que te equivocas, no puede ser él.

—A ver, ¿cómo se llama?

—David Marquès.

—Claro que es él, lo que pasa que allí se hacía llamar Darío Márquez y hablaba en castellano. Menudo sinvergüenza, el tal Darío, o como se llame.

—Seguro que no es él.

Santi se dio la vuelta y decidió no dar crédito a aquel cotilleo maléfico. Fue a coger una bandeja de ensaimadas y salió al jardín a ofrecérselas a los invitados.

Se dirigió en primer lugar al grupo formado por David, Montse y el mosén. Los instantes de vacilación en el momento de coger las ensaimadas le permitieron clavar una mirada tan atenta como aprobatoria y opaca a las manos y las muñecas de David. Tampoco esta vez su conciencia le advirtió que aquel examen podría resultar sospechoso, y así pudo disfrutar sin problemas de la particular familiaridad que se instauró entre su jefe y él aquella misma tarde.

A partir del sábado siguiente empezaron las reuniones regulares del nuevo clan con su jefe en los bajos de la casa de los Arnau, y muy pronto Santi se convirtió en uno de los favoritos de David. Él era el encargado de abrir la puerta a los asistentes y de encender y apagar las luces del local, y como David era el último en salir, se despedían en la puerta de la casa. Muchas veces, David le daba a Santi una palmada en la espalda, y a este le gustaba conservar sobre la piel la impresión de aquel contacto, pero no sabía por qué.

A primeros de julio, acabado el curso escolar, el clan de los *rangers* se fue de campamento. Era el primero al que iba aquel nuevo grupo de adolescentes liderados por David Marquès, quien acudió asistido por otros dos muchachos amigos suyos. A Santi le cayeron mal desde el primer momento. Los veía como intrusos que rebajaban el protagonismo de su admirado David, y además diluían la atención que este le dedicaba. Para colmo, no poseían ningún atractivo —pero eso Santi lo percibió sin pensarlo—.

Del mismo modo miraba sin pensar las transformaciones físicas que habían experimentado sus compañeros desde la última vez que los vio en bañador, durante el campamento del año pasado. Algunos, pero no él, ya se habían convertido en hombres, tenían vello en las piernas, la musculatura del pecho más definida, las manos y los pies más grandes, y Santi se imaginaba que sus sexos también debían de haberse desarrollado en proporción. Un impulso que no habría podido explicitar pero que actuaba con gran eficiencia en él le llevaba a disimular aquel escrutinio.

Finalmente llegó el sábado y el momento tan esperado: la clausura y culminación de la acampada, la noche de la celebración en torno al fuego, el *foc de camp*. Durante el día estuvieron llegando los asistentes al acto, mosén Costa, Montse Font, Jaume Caralt, así como los padres de la mayoría de *rangers*, entre ellos los de Santi. Algunos alquilaron una habitación en la fonda del pueblo cercano, otros regresarían a sus casas de veraneo después de la celebración.

Cuando todavía no era de noche, todo estaba ya preparado para la fiesta alrededor de la hoguera. En un primer corro estaban sentados los *rangers* y sus jefes, más Jaume Caralt y mosén Costa. Más atrás, unos de pie y otros sentados, las madres y los padres de los muchachos.

Montse Font había insistido en presenciar aquella celebración que consagraba la madurez de los que habían sido sus pupilos y fue hasta el campamento pirenaico en el coche de los Caralt, junto con mosén Costa. Cuando todo estaba a punto de empezar, David Marquès le hizo un gesto para invitarla a situarse en primera fila, entre los *rangers* y sus dirigentes. Ella, después de mostrar una cortés reticencia que duró pocos segundos, fue a sentarse a la derecha de David. Cuando estuvo a su lado, David estrechó con la mano derecha la izquierda de Montse y sacudió brevemente sus manos unidas. En general aquello se interpretó como un agradecimiento del nuevo jefe a la antigua jefa por su labor, pero también hubo padres y madres que vieron en aquel gesto el anuncio público de una relación más personal. Tenían razón, y poco antes de Navidad, David y Montse anunciaron su compromiso.

Empezó la celebración propiamente dicha. Mosén Costa se levantó, juntó las manos y empezó su parlamento congratulándose por la creación de aquel clan de *rangers* que iba a continuar la magnífica labor del grupo de los lobatos (el mosén miró a Montse y esta sonrió y agradeció la mención con un gesto de cabeza). Pero el trabajo que esperaba a David y al resto de jefes era mucho más duro, aseguró el cura, porque ahora aquellos niños se habían convertido en adolescentes, y la adolescencia era una edad delicada y difícil, plagada de peligros, los muchachos de esa edad eran como árboles jóvenes...

Santi recordó que ya había oído varias veces la fábula del árbol joven, y pensó que tenía ganas de que alguien le explicara de una vez en qué consistían esos graves peligros de la adolescencia. Pero le habría gustado una explicación muy clara, gráfica, con ejemplos, a ser posible.

Mosén Costa prosiguió, hablando ahora de la patria catalana, que con iniciativas como aquella, con grupos de ciudadanos como los presentes, gente preparada, honrada y patriota, daba muestras de una vitalidad inextinguible, a pesar de todos los contratiempos que había sufrido. Pero llegaría el tiempo, aseguró, en que Cataluña volvería a ser...

El consiliario no terminó la frase. Sabía que todo el mundo la completaría mentalmente con el himno prohibido, *Els segadors*. Después de unos segundos de tenso silencio, siguió diciendo que Cataluña volvería ser un país culto, civilizado y... (tras una pausa y en un tono más bajo, según le enseñaron en el seminario) libre.

Después tomó la palabra el señor Caralt, quien glosó la importancia del acto, que simbolizaba la continuidad de un proyecto educativo y de país que se había iniciado con los lobatos de la Agrupación Sant Pau, y que ahora culminaba con la tropa de *rangers* al mando de David Marquès, quien sin duda iba a proporcionar a los muchachos una educación excelente en lo personal y en lo social. Pausa, sonrisa y movimiento de cabeza por parte del orador y del aludido.

Entonces se levantó David (Santi lo vio desde una nueva perspectiva, admiró la visión y no pensó nada), y después de agradecer las palabras del mosén y del señor Caralt, anunció, con una gran sonrisa dirigida circularmente a los padres y madres, que a continuación cada una de las patrullas en las que estaba dividido el clan de los *rangers* iba a representar un pequeño *sketch*, que había sido concebido y ensayado durante la semana del campamento. Aclaró que esas patrullas eran designadas con el nombre de un animal totémico, elegido democráticamente por los componentes de cada una. Los adolescentes aplaudieron ruidosamente y gritaron vivas a sus patrullas respectivas.

Empezó la de los castores, que ejecutó una danza ritual de los indios de la pradera americana tal como se la había enseñado David, que la había sacado de un cancionero, aunque para leer la partitura necesitó la ayuda de Montse, que sabía música. Al final de su interpretación, los actores prorrumpieron en chillidos y aullidos que imitaban los cantos y voces de diversos animales, y que fueron emulados por el resto de *rangers*. Después de unos segundos de vacilación y arrastrados por Montse, también David y sus asistentes se pusieron a gritar, gruñir y chillar. Finalmente, la mayoría de padres, aunque no todos, se añadieron a la formidable algarabía.

Los pumas eran un poco gamberros y presentaron chistes escenificados. Después de cada uno, el público reía estrepitosamente, y los *scouts* aullaban y chillaban a la manera de los pieles rojas. Uno de los chistes más celebrados consistió en este diálogo en castellano, que dos jóvenes actores recitaron después de levantarse y desaparecer entre los matorrales:

—Nuestro amor es imposible. (Pausa). Adiós, Pedro.

—Adiós, Juan.

Y todo el mundo estalló en furiosas carcajadas. Santi también se rio, pero además se fijó en cómo se reían las personas que presidían la ceremonia. Comprobó que David y sus ayudantes no se rieron mucho, seguramente porque ya conocían el chiste, al haber asistido a los ensayos. El señor Caralt se reía también moderadamente y meneaba la cabeza como diciendo «¡Qué cosas se les ocurren a esos chicos!». En cambio el mosén, siempre tan comedido en sus manifestaciones, aquella vez soltó toda su expresividad y abría la boca desmesuradamente, se golpeaba las piernas bajo la sotana, se balanceaba adelante y atrás.

La patrulla de los corzos, a la que pertenecía Santi, representó una escena histórica, la muerte de Guifré el Piloso y la creación del escudo catalán con las cuatro barras trazadas con la sangre del héroe. Pero como resultaba complicado inventar diálogos para aquella escena tan trascendental, decidieron representarla con gestos exageradamente teatrales y sin palabras, como un mimo o una película muda. El jefe de la patrulla ponía la música de fondo tocando *Muntanyes del Canigó* a la flauta dulce. Santi, que se veía más niño que los demás, tuvo que conformarse con interpretar al paje de Carlomagno. También en calidad de benjamín del grupo, fue el encargado, al final de la representación y después de la muy ceremoniosa muerte del velludo conde, de enarbolar la bandera catalana que el señor Caralt había traído secretamente desde Barcelona y que tuvo la virtud de dejar algo desconcertados a los padres, algunos de los cuales miraron instintivamente hacia los lados, como buscando falangistas o alguna pareja de la Guardia Civil.

Entonces los jefes —los laicos y el cura— estallaron en un cerrado aplauso, y esta vez fue un aplauso distinto de los de antes, sin gritos ni chillidos indios, un aplauso formal, denso, acompañado de una expresión grave en los rostros, y tan solo interrumpido por la necesidad de apoyar las manos en el suelo para levantarse. Primero se puso en pie David, al poco todos los jefes e inmediatamente después todos los *boy-scouts*. Luego, poco a poco, se fueron levantando las madres y los padres, que siguieron aplaudiendo un buen rato hasta que el señor Caralt apagó la ovación con un gesto de las palmas abiertas y las manos levantadas.

En su breve parlamento, volvió sobre las ideas que ya había expuesto anteriormente: el trabajo que había hecho el nuevo responsable de los *rangers* era muy meritorio y había sido realizado de manera impecable. A Santi, aquel elogio le colmó el corazón de gratitud y de esperanzas desdibujadas.

Luego agradeció a los padres que hubieran hecho el esfuerzo de venir hasta aquellas alturas pirenaicas para estar con sus hijos y todos los demás miembros de la comunidad *scout*. Grandes aplausos.

A continuación intervino mosén Costa, quien con las manos en gesto de oración y la cabeza gacha subrayó la importancia del escultismo en la formación de los adolescentes, y aseguró a los padres que sus chicos estaban recibiendo, probablemente, la mejor formación moral y cívica que se podía tener en aquel momento y en aquel país. Afirmó que David Marquès y sus colaboradores estaban sembrando la semilla de una Cataluña que empezaba a renacer después de haber pasado por momentos dificilísimos para todos —y subrayó con énfasis clerical aquel «todos», pues era consciente de que entre los padres presentes en el acto algunos habían luchado en un bando y otros en el contrario durante la Guerra Civil—. Acto seguido el mosén inició el rezo de un padrenuestro y después dio el acto por clausurado.

Una hora después, los *rangers* y sus jefes miraban cómo las luces de los coches se iban alejando entre polvo y sacudidas. Cuando hubo desaparecido el último vehículo, David y sus ayudantes estallaron en gritos de alegría: todo había salido muy bien, la acampada estaba a punto de concluir sin ningún contratiempo, y la ceremonia de clausura había confirmado públicamente a David como jefe indiscutible. Los chicos se apuntaron inmediatamente al bullicio, ellos también se alegraban de que hubiera terminado el campamento, el rancho siempre con sabor a socarrado, el toque de diana al amanecer, el suplicio de acostarse temprano sobre el suelo duro, los hedores varios y ubicuos.

Sin parar de gritar como indios, los jefes empezaron a correr hacia las tiendas, y todos les siguieron gritando y empujándose. Entonces, mientras corrían se dieron cuenta de que la noche era muy clara, con la luna casi llena, y aquello todavía los excitó más. David, al frente de la marcha, saltaba y señalaba la luna, como invitando a los chicos a adorarla. Todos se daban empujones afectuosos, se reían, gritaban, y como la temperatura era templada, cuando llegaron al sendero que llevaba al campamento se encontraron acalorados y sudorosos. Entonces David, en vez de dirigirse a las tiendas, se detuvo inopinadamente, dio media vuelta y gritó:

—¡Al río!

Y todos, jefes y *rangers* echaron a correr y a saltar a oscuras por el sendero pedregoso hasta alcanzar la poza en la que se bañaban cada mañana. David fue el primero en llegar y se sentó sobre una roca para descalzarse. Todos le imitaron, se quitaron las botas y los calcetines, y se pusieron de pie para desvestirse, siguiendo a David que, cuando solo llevaba los calzoncillos —tipo eslip, observó Santi con aprobación—, también se los quitó con gesto rápido. Los dos ayudantes realizaron la misma operación, y todos los chicos les imitaron. Los más temerarios, o los más excitados, entraron con precaución en el agua helada, levantando mucho las piernas desnudas, pisando con cuidado y lanzando exclamaciones hasta que, una vez ya sumergidos hasta la cintura, animaron a los demás gritando y chapoteando. Poco después entraron David y sus ayudantes, y luego todos los demás. Santi había permanecido algo retirado, pero cuando vio los cuerpos de David y de los demás chicos, con sus sexos adultos saltando a la luz de la luna entre salpicaduras de agua y reflejos de luz blanca, sin pensar en nada, se acercó desnudo a sus jefes y se unió a la fiesta de gritos y chapoteos. Entonces David lo vio y, contento de que finalmente aquel muchacho tímido y aniñado diera alguna muestra de energía viril, le dedicó una atención preferente, le salpicaba, le frotaba el pecho y la espalda con el agua helada del río, le dedicaba frases de estímulo y confianza, como si quisiera bautizar el ingreso del chico en la edad adulta, en la fratría de los *rangers* enérgicos y valerosos.

Y con la imprecisión que caracterizaba sus procesos mentales, pero con una seguridad ciega y obstinada, Santi decidió que ahora sí, que optaba por aquel ímpetu duro y masculino, que lo iba a cultivar y aumentar, porque tenía que hacerse digno de David, y que a partir de entonces aquel grupo de jóvenes atléticos y desnudos sería su grupo, su clan, que ellos serían los suyos en esta nueva etapa que estaba empezando, y pronto él cambiaría y sería como los demás, sería digno de ellos, sí, muy pronto sería uno más entre ellos.

Nació en Madrid en 1951 y es
licenciado en Filología Romá-
nica. Con 19 años publicó su
primer libro de poemas, *Sublime
Solarium*. Su obra creativa ha
sido traducida al alemán, japo-
nés, italiano, francés, inglés,
portugués o húngaro, entre
otras lenguas. Ha recibido el
Premio Nacional de la Crítica de
poesía (1981), el Premio Azo-
rín de novela (1995), el Premio
Internacional Ciudad de Meli-

Luis Antonio de Villena

lla de poesía (1997), el Premio
Sonrisa Vertical de narrativa
erótica (1999) y el Premio Internacional de poesía Generación
del 27 (2004). Es Doctor Hono-
ris Causa por la Universidad de
Lille (Francia) y actualmente
colabora en *El Mundo* y en Radio
Nacional de España. Sus últimos
trabajos han sido la reedición de
Caravaggio, exquisito y violento y
el libro de ensayos *Los placeres
del arte*.

Un hombre o dos o tres...

A mis veinte años yo era un muchacho muy cabal. Sí, tenía fama de extravagante y raro (el vestir, los libros que leía) pero ello se compensaba por el buen rumbo de mi carrera de Letras y por un comportamiento casi ejemplar. La cosa es que si mi comportamiento era (o parecía) así, todo venía de una zozobra íntima que me hacía, además, tener muy pocos amigos. Yo era homosexual —entonces nadie hubiese dicho gay— y por más que eso lo tenía clarísimo desde mis quince o dieciséis años, en el colegio de curas nadie lo sabía (solo algunos lo sospechaban) y yo no me atrevía a confesarlo de ninguna manera. Eran los años últimos del franquismo, y pese a una casi inaugurada modernidad de barniz, España seguía siendo un país casposo, del que muchos nos avergonzábamos, regido por eclesiásticos y militares, con una rancia y pacata moral de sacristía.

Me tocaba ir al Servicio Militar (por supuesto obligatorio) y aunque tendría un buen «enchufe» —algo muy franquista— gracias a un coronel de Estado Mayor, amigo de una tía mía, los tres meses iniciales de campamento o instrucción —que culminaban en la jura de bandera— debería afrontarlos casi a pelo, lo que me aterrorizaba, porque imaginaba que tantos chicos juntos y asilvestrados descubrirían mi íntima condición sexual con el aparente y terrible tormento. Debía ir a un cuartel en las afueras de Valladolid y ya allí, ¿qué sería de mí, qué haría, cómo escaparía a mi destino?

Siempre he tenido una pequeña veta de actor, y consideré que ella bien podría ayudarme. Naturalmente tendría que abandonar por entero los numeritos y extravagancias que tanto éxito me daban en la facultad, y convertirme (con las gafas siempre puestas y aún algo caídas) en una suerte de sabio despistado o raro ratón de biblioteca, siempre con un libro en las manos —pensé en Plutarco— y dispuesto a soltar complicadas arengas parafilosóficas al primero que se avecinara. ¿No está claro? Con esa actitud culta y descuidada, cualquier peculiaridad que vieran en mí (que la verían) no iría a parar al campo marica, sino al muchísimo más prestigioso —aunque absurdo para ellos— del chalado empollón libresco. Tenía que hacerlo así, no cabía otra, y así lo hice desde el mismo comienzo. La mili me horrorizaba, pues me parecía tiempo perdido en uno de los momentos más prometedores de la vida, pero —la verdad— mucho más terror me causaba el verme como chivo expiatorio de «la raza de los acusados», como Jean Cocteau elegantemente decía.

Conseguí mi propósito. Tanto parecía un chiflado sabihondo y tanto hablaba de Platón, escépticos y epicúreos, que los de mi compañía dieron por ponerme de mote el muy distinguido —pero raro para ellos— de El Filósofo. Cuando lo oí, sentí que estaba salvado.

Pero (desde mi aparente despiste y frenesí lector) no había dejado de darme cuenta de todo lo «otro». Es decir, de tantos chicos vistiéndose, desnudándose, duchándose y durmiendo juntos —en literas— en un gran dormitorio comunal en el que, al fin, solo quedaba una luz roja encendida. De noche, cuando el cabo primero o el sargento mandaban silencio y se iban, se abría en la penumbra la caja lujuriosa de los truenos: «¿Quién me la chupa?», «cabrón, necesito correrme», «¡mira, mi sábana se tiene de pie sola de tanta lefa como he soltao!», «¿nos pajeamos? Voluntarios, con la picha tiesa, al fondo de la fila...». Eso y carreras de chavales en calzoncillos entre las camas para ver quién le tocaba el paquete al otro y escapaba... Me percaté de que algunos estaban francamente buenos y en calzoncillos me gustaban más. Debía empezar a ser un poco fetichista de los gayumbos en flor.

Pero lentamente me di cuenta (yo resguardado mirón, sin hacer ruido) de que en realidad detrás de tanta bulla luego no pasaba nada. Era, literalmente, mucho ruido y pocas nueces. Nada. Bromas. En realidad había demasiado público para que, de veras, pasara algo. Pero el bullicio era un síntoma evidente y nada desdeñable. Tuve dos episodios bonitos que me hicieron (de alguna manera) sentirme uno aceptado y el otro pillado, pero buenamente. Un mediodía, al romper filas, después de la ridícula instrucción, sorprendí a un compañero, sin querer, rascándose imperioso la entrepierna:

—Joder, macho, tengo el rabo más duro que un palo y me duelen las bolas, que deben estar llenas... ¿A ti no te pasa, Filósofo?

—Sí, claro. Entonces me hago una paja.

—Te alivias, claro —me sorprendió la expresión—, pero yo ya, si es posible, tengo que meterla. Pesa el rabo, joder.

Seguía tocándose y hasta creo que se quedó en puertas de

pedirme que lo comprobara. No lo hizo. Pero yo me fijaba ya en la erección, que él apretaba.

—¿Y qué haces entonces, chavea?

Había aprendido a usar algunas de esas voces populares, procurando que no sonasen a impostadas. Creo que lo conseguí, a ratos.

—Tú eres un intelectual, gachó, y lo llevas de otra manera. Pero te voy a decir un secreto. Y prométeme que lo guardas. Aunque si un día te hace falta lo buscas. Es un chaval cumplidor, pero muy maricona...

—¿Cómo?

—En la Segunda Compañía, enfrente, hay un chico canario, rubito, que se llama Rafa. No tiene pérdida. Cuando mandan descanso levanta el culo. Lo que más le gusta es comértela y luego que se la metas bien por retambufa, todo el rato que quieras, hasta que hayas largado toda la mierda. Él se corre solo de gusto que le da, en el suelo. Joder, luego en la siesta voy a buscarlo...

—Pero, ¿dónde lo hacéis?

—La hostia, titi, no va a ser aquí. Es muy fácil. Vas a una cabina de esas de cagar, de las que están más al fondo y te encierras. Más fácil imposible. Además, Filósofo, hay muchos que tragan más de lo que parece.

Hice un gesto teatral de sorpresa intelectual, antes de decir: «¡Caramba! No había caído. Es sorprendente...». Y él sonrió, benévolo, como habiéndome dado una lección magistral, de la experiencia.

—Sí, joder. Me iré luego a ver al Rafa y a pegarle una clavada cojonuda, en el retrete. Le puedo hablar de ti, ¿no? Así, chaval, vas cuando quieras. Pero no vayas siempre con el libro, que se va a asustar la nena.

Y se echó a reír, mientras se iba. ¿Cómo me definiría? Pues como un rarito, «normal». Confieso que era lo que yo quería, de entrada. Pero entre tanto mozo estupendo ¿no podía ocurrir nada más? Ya algo me decía que sí. Pero yo no lo veía fácil. Y lo reconozco, una mariquita muy plumera (como me imaginé a aquel pobre Rafa, aunque igual él se lo pasaba de muerte) nunca ha sido mi estilo…

He hablado de dos cosas y la segunda es mucho mejor, me parece. En mi unidad (aunque lejos de mi litera) había un chico rubio, alto, bien hecho y de facciones bonitas, pero muy natural, muy tranquilo, como si no se diese cuenta de que era una joya. Siempre que nos cruzábamos nos sonreíamos, no sé por qué, pero me encantaba. Un día me preguntó por el libro que estaba leyendo —llevaba un tomo de los *Ensayos* de Montaigne— y aunque me dijo no conocer ese (sonriendo), me aseguró que le encantaba la lectura. Eso estaba muy bien y yo del todo fascinado, pero sobre todo porque (con la mayor naturalidad) mientras me hablaba se estaba poniendo el atuendo de deporte. La blanca camiseta de tirantes me dejó ver un pecho perfecto, dorado. Y unas pilosas axilas rubiáceas. Se quedó en calzoncillos. Y se puso el pantaloncito negro, que le quedaba ajustado y corto. Los muslos exactos mostraban una leve pelusilla azafrán. Y la estrechez marcaba paquete. Pero, insisto, él siguió explicándome su gusto y yo contestando. Toda su preciosa belleza parecía traerle sin cuidado. Eso (lo sabéis) los vuelve mucho más atractivos. Al final se fue al gimnasio. Yo me quedé levemente en éxtasis y pensé que parecía el joven cadete de una goleta. Lo imaginé subiendo al palo mayor y duchándose en cubierta… ¿Una premonición? Porque unos días más tarde, acaso una semana, fui a ducharme (eran duchas comunales en un edificio exento, cerca de la tapia del cuartel) esperando —por la hora— hallar el recinto vacío. Pero, oh dioses, para mi mayúscula sorpresa, el recinto estaba vacío, sí, pero lo llenaba e iluminaba él, que ya desnudo y mojado estaba empezando a enjabonarse. Lo saludé, tratando de frenar al potro para que no se me desbocara. La tenía larga y bonita. Me mojé. Casi frente a él. Entonces me quedé de piedra, como si no pudiera ser verdad. Se acercaba, jabón en mano.

—¿Quieres que te ponga el jabón? Por la espalda cuesta un poco...

—Vale, claro.

Y empezó a darme jabón y yo tenía la vista bajada, pero oí que dijo algo parecido a esto: «Tú y yo somos muy distintos, Carlos. Yo casi no he estudiado. Pero me gustaría ser amigo tuyo, de veras. Sé que me enseñarías. Me llamo Javi, no sé si te lo había dicho».

—No, pero lo había oído.

Parece absurdo (y no) decir que me enjabonó y me pasó la mano, muy suave, por el culo y que luego me pidió que yo hiciera lo mismo y lo hice, con esfuerzos para no empalmarme. Él no se había empalmado, desde luego, pero su verga dorada había adquirido consistencia. Claro que todo en él era tan grato y natural que ni podía decirse. Como fuera, al fin nos duchamos (sin dejar de mirarnos) cada uno en su lado. Luego, toalla a la cintura, fuimos al vestuario. Se secaba con brío y también los huevos y la polla, como partes del cuerpo igual que las demás. Yo iba con mucha mayor cautela. Aunque estaba literalmente hechizado viéndolo y solo para mí, si puede decirse. Ya seco, pero aún desnudo, fue hacia un desportillado lavabo con un espejo más desportillado aún, a peinarse aquel pelo rubio y forzosamente corto. Y entonces soltó algo aún más inesperado: «Suelo venir a estas horas a ducharme porque no hay nadie. Así —me sonreía cómplice desde la luna vieja— aprovecho además para hacerme una paja. Porque en el dormitorio no se puede, ¿no?».

—No, por supuesto, allí parece imposible, aunque algunos se la cascan. No tienes más que ver las sábanas...

—Ya, ya. Como mi compañero de abajo. Un guarrete, el tío. Claro que está casi siempre cachondo.

—Yo lo hago dentro de las cabinas, ya sabes. Me la hice a mediodía.

—¡Vaya con el sabio! Sí, macho. Debe ser lo mejor. No sé por qué coño me he habituado yo a este sitio. Es que con la humedad resulta más fácil. Si te parece una guarrada me lo dices, Carlos. Pero, joder, me gustaría que me la cascaras tú, ahí, en ese rincón del váter. Favor por favor. Otro día que quieras me lo dices.

—Joder, Javi. No lo he hecho nunca, pero supongo —yo era un hipócrita— que por un amigo vale la pena. Pero igual me empalmo viéndote el gusto...

Y se echó a reír, agarró la toalla y me señaló el cubículo. Yo se la hubiese chupado, porque ya la tenía dura y brillante, pero acaso habría sido excesivo. No obstante me agaché (él de pie contra los azulejos), le puse una mano en el culo, que abrió levemente, mientras con la otra, tris-tras, se la pelaba encantado. Mi marino ideal —«los marineros son las alas del amor»— miraba al cielo, concentrado, enteramente duro y diría que con los ojos cerrados. Pronto empezó a jadear y yo le acompañaba en los resoplidos. Al pronto, exclamó: «Joder, cabrón, lo echo, lo echo todo, lo echo…». Y en un «¡Ahhh!» apoteósico lanzó sobre mi pecho tres gruesos chorros, casi surtidores, de una lefa blanca y estupenda.

—Joder, chaval, te he llenao de mierda. Pero estoy nuevo.

Me puse de pie. Todavía la tenía empalmada y me había corrido solo (algo menos que él) pero en el suelo. Le unté un poco en el muslo.

—Ya te avisé, Javi. Verte me ha puesto cachondo a mí también. Eres un toro, chaval.

—Y tú, cabrón, y tú… Anda, vamos a pegarnos un remojón y nos piramos. Otro día me tienes que prestar un libro.

Así lo hicimos entre risas, y aunque la conversación volvió a la normalidad e íbamos con nuestros trajes de faena, la tarde —aquel inicio de atardecer— me pareció maravillosa. La más feliz de mi vida hasta entonces. Y no exagero.

Pero no volvió a ocurrir. No era el inicio de nada, sino de más amistosas sonrisas. Y yo seguía pensando en cómo se «aliviaba» tanta joya veinteañera.

Pero la horrorosa (¿horrorosa?) instrucción, tan cutre, no había acabado todavía. Creí que yo sospechaba misterios que —salvo pequeños *flashes*— no existían. Tocó —ya acabando septiembre— ir de maniobras junto al Duero. Aquello era un espanto falto de higiene y conseguí que al segundo día me devolvieran al cuartel, como enfermo. Parecía un chollo, pero no lo era. El cuartel estaba casi vacío y aunque no tenías nada que hacer (barrer un poco) no podías salir, y aquello se te volvía claustrofóbico y más que tedioso. Estaban los chicos de cocina, pero esos pobres trabajaban todo el día para hacer el rancho espantoso de toda la tropa en maniobra. Dormía en una litera superior en una nave casi desierta salvo por tres o cuatro reclutas, enfermos de veras. Me puse lejos, muy cerca de la entrada que tenía luz. Todo el resto estaba en sombra. De repente (quizás el segundo día) oí ruido ya pasadas las doce, risas, susurros, una especie de juergueo en sordina. Y vi llegar a dos muchachos con pinta de cansados y de algo bebidos, que —obviamente— venían de agotar el día completo en la cocina. Era evidente que creían estar solos y era casi cierto. Pero casi solamente.

Como tantos chicos que aspiran a no perder nunca la mímica viril, venían cachondos, excitados, metiéndose mano, y al tiempo soltando palabros de plena hombría. Se tocaban, se pegaban, boxeaban, bailoteaban, se decían bestialidades y lindezas, joder ¿y cómo se llama eso? Pues que estaban excitados, salidos, un poco mamados. Como los monos de Gibraltar, decían, que se la menean ante los turistas. Uno me pareció un chico corriente —aunque fuerte—, moreno y sin afeitar. Pero el otro, creí (desde mi escondrijo bajo la sábana) que era muy blanco y de unos hermosos y grandes ojos negros. En la litera extrema (casi enfrente de la mía, los podía observar con comodidad) llegaba aún el resplandor de la entrada. El de los grandes ojos negros, despeinado dentro del poco pelo, parecía agotado, se sentó en la cama de abajo y se estiró hacia atrás, alargando los brazos arriba, los ojos cerrados, como si no pudiendo más, todo le diera lo mismo. El de la barba cerrada se quedó unos instantes mudo, mirando, y casi de repente, con rapidez y silencio, le desabrochó los anchos pantalones y tiró de ellos. A aquella luz suficiente y nítida, vi al chico con el calzón de deporte (que no ocultaba su erección) y unos muslos torneados y suavemente atléticos. Tiró del calzón también y vi —por primera vez en mi vida— el ardor que puede tener una mamada. El guapo (lo llamaré así) parecía simplemente complacido, mientras el feo obraba con destreza, pero la calidez debía ser tal —como la mía— que a punto de correrse dijo algo («ya, ya», creí entender), pero el otro siguió y siguió sin sentirse aludido. Era lo que llamaban (lo supe más tarde) una «mamada imperial» y noté cómo la boca del feo se llenaba con el semen del guapo que no dejaba de convulsionarse y de gemir bajito. Al terminar, todavía vi al trasluz las hebras blanquecinas que colgaban de la boca barbada. El guapo se quedó como muerto y al poco se levantó, dijo algo al oído del feo (que salió) y me pareció que se iba al lavabo. Urgido por un resorte que no pensé ni calculé, me fui detrás. Desnudo, el guapo se lavaba los dientes. «Hola», dije. Y le miré. Tuve que mirarle porque era muy guapo, tenía unos ojos tan negros como la mata de pelo de su sexo aún pendulón, y estaba desnudo. Entonces, con cierta naturalidad, tras enjuagarse, me dijo: «Creí que hoy no había nadie».

—Y casi no hay nadie. Tres vagos que hemos escapado de las maniobras.

Como sonreí, él hizo lo mismo. Nunca había visto a nadie tan guapo a mi lado y desnudo por entero.

—¿Nos has visto?

—No lo podía evitar.

—Bueno. Espero que no te parezca mal... Estábamos muy salidos. Él se la había cascado antes. A mí no me gusta la cocina... ¿Tú no lo haces?

Creí que no era yo quien hablaba, loco, tímido, nada libresco entonces.

—Contigo lo haría...

192

—Mañana no tengo cocina completa. Si quieres después de comer vamos al cuartito de las duchas…

—Vale. Sí.

Y yo me puse a mear y él se escabulló con disimulo. Por lo visto, el reservadito de las duchas no era tan desconocido. Me gustaba mucho, pero yo no quería llegar y mamársela. Buscaba, sin acertar a decirlo, otra cosa más tierna, menos agreste. Quizá soñaba en exceso. Casi no pegué ojo aquella noche entera.

A mediodía, le vi saliendo de la cocina. Creo que era el último día en que aquel horrible cuartel estaba casi desierto. Me acerqué temeroso. Podía haberse arrepentido de la noche anterior. Incluso amenazarme. Pero no. Sonreía. Y era mucho más radiante que de noche. Prácticamente lampiño. Pero sabía que con mucho pelo en las axilas y en el pubis. Todo me excitaba.

—Hola. Iba a proponerte… No sé. Sabes, hoy en el hondón de los pinos, en la siesta, no habrá nadie.

—No seas ingenuo. Eso está a la vista de cualquiera. Y hay muchos que miran, aunque no lo parezca. Vamos la cabina última, tiene más luz, ¿te parece?

—Claro. Después de comer, ¿no?

—Dime la verdad —íbamos caminando juntos, me rozaba las manos—, ¿a que no lo has hecho nunca?

—¿Una paja?

—No, hombre. Follar, follarte a alguien que te guste como es debido. ¿Yo te gusto?

No sabía por dónde seguir, emocionado, deslumbrado, nervioso, torpe, afanoso, convulso…

—Sí, digo no. O sea, no lo he hecho del todo, pero… Tú me gustas mucho. Me llamo Carlos. ¿Y tú?

—Raúl. ¿Has oído hablar de Rafa? Somos del mismo pueblo en Tenerife, pero yo casi perdí el acento. Vivo en Madrid. Y no hago como Rafa, de verdad, no me voy con todo el mundo. Tú me gustas porque eres delicado, distinto, aire de estudiante... Vamos a pasarlo bien, ¿verdad?

—Claro, Raúl, seguro. Eres tan guapo... ¿Me gustaría darte un beso?

—¿Aquí?

—Sí, aquí, detrás de la tapia...

—Vale.

Y nos morreamos y nos sentimos duros y dispuestos como dos jaguares. La siesta fue estupenda y pervivió casi hasta la cena. Pero, tristemente, al otro día el cuartel volvía a estar atestado de sargentos y brigadas, instrucción y pista americana. Vi a Raúl de lejos, pero no pude acercarme. Y tengo la sensación (pese a sus protestas) de que él, como en el chiste, no buscaba hacerse un hombre, sino dos o tres o cincuenta. Entonces me dio pena o acaso eran celos. Hoy lo entiendo perfectamente. Le vi otro día antes de la Jura de Bandera, acto solemnísimo. Guarreamos un poco y nos dimos el gran beso de nuestras vidas. Sobre todo porque nunca habría otro entre nosotros. Tras la Jura, unas cortas vacaciones y después cada uno a su destino. El mío en Madrid, con el coronel amigo de mi tía, que me dejó ir a la facultad, sin problemas. El verano de Valladolid se cerró con frío. Y nunca supe más ni de Raúl ni de Rafa (al que no conocí) ni del feo barbado ni de mi rubio capitán de goleta. Por ese sí que lo siento. Creo —sin duda— que era el mejor de todos. ¡Adiós, chicos!

¿Qué tal la mili? Me preguntaron en clase.

—Una verdadera putada, os lo juro.

Y les mostré con mi clásica pose de manos un ensayo de Oscar Wilde que estaba leyendo, encantado: *La verdad de las máscaras.*

Era eso.

*«No quiero inventar a alguien
que no tiene el valor de recordar conmigo»*
Fernando J. López

Este libro,
compuesto
en tipogra-
fía Crimson
e impreso en
papel Coral
Book de 80
gr., se terminó
de impri-
mir en octu-
bre de 2014.